Brigitte des Colères

Jérôme Lafond

Brigitte des Colères

Tome 2
L'exterminacœur(e)

roman

**ÉDITIONS
Marchand
DE FEUILLES**

Marchand de feuilles
C.P. 4, Succursale Place d'Armes
Montréal (Québec)
H2Y 3E9
Canada

www.marchanddefeuilles.com
Mise en pages : Sarah Scott
Couverture : Julia Bereciartu, *Moleskine girl (Redhead)*
Graphisme de la page couverture : Sarah Scott
Révision : Annie Pronovost

Diffusion : Hachette Canada

Les Éditions Marchand de feuilles remercient le Conseil des Arts du
Canada ainsi que la Sodec pour leur soutien financier.

**Catalogage avant publication de Bibliothèque et Archives nationales
du Québec et Bibliothèque et Archives Canada**

Lafond, Jérôme, 1977-

   Brigitte des Colères : roman
   Sommaire : t. 2. L'exterminacœur(e).

   ISBN 978-2-922944-74-7 (v. 2)

   I. Titre. II. Titre : L'exterminacœur(e).

PS8573.A353B74 2010   C843'.6   C2010-940133-6
PS9573.A353B74 2010

Dépôt légal : 2011
Bibliothèque nationale du Québec
Bibliothèque nationale du Canada

*L'auteur tient à remercier
Roméo Lafond et François Duclos
pour leur précieuse collaboration.*

I

Dans une autre vie, j'ai été un chat de ferme qui avait ses entrées à la maison-mère. J'avais vu le jour derrière un panneau de contre-plaqué avec mes frères et sœurs et quelques semaines après notre naissance, notre mère s'était fait frapper par une voiture qui roulait dans notre rang. Le fils du fermier nous avait montré à boire dans un bol. Pour ce faire, il m'avait pris comme exemple et m'avait trempé le bec et le museau dans le lait. Le fils du fermier espérait que je me lèche les babines. Et je m'étais léché les babines. Et il m'avait retrempé le bec et le museau dans le bol jusqu'à tant que je comprenne que ma survie dépendait de mon aptitude à laper.

Les premiers mois de ma vie, j'ai été docile et le fils du fermier me cajolait constamment. J'étais son préféré et le seul de mon clan à avoir vu l'intérieur de la maison-mère. C'était une grande maison en pierres des champs avec deux chambres dans la mansarde. Deux énormes foyers-sentinelles régnaient sur le rez-de-chaussée et une trappe en érable menait au sous-sol en terre battue. Dans le salon, des meubles victoriens dictaient la bienséance et les portraits sérieux des ancêtres, regardant tous par la fenêtre donnant sur la véranda, rappelaient aux occupants qu'ils avaient été précédés de braves gens courageux. Dans la maison-mère, il y avait un crucifix dans chaque pièce.

Nous étions six frères et sœurs, mais seuls trois d'entre nous ont survécu. Avec le temps, je suis devenu sauvage. Je me suis mis à cracher sur les mitaines du fils du fermier lorsqu'il tentait de me prendre. Je vivais dans la tasserie de paille. J'avais appris à me défendre et à chasser. Ma sœur et mon frère avaient quant à eux élu domicile dans la laiterie. À la fin de chaque traite, le fermier leur versait un bol de lait chaud fraîchement sorti du pis. Ils faisaient la belle vie pendant que je trimais dur. Puis, une nuit, le fils du fermier est venu se réfugier dans la tasserie de paille. Il pleurait. Ces larmes m'ont attendri et je suis venu à lui. Pour me récompenser, il est descendu de la tasserie pour y revenir quelques minutes plus tard avec un bol de lait chaud. J'ai compris à cet instant que je devais rejoindre mon frère et ma sœur dans la laiterie. Que j'avais moi aussi droit à la *dolce vita*.

Je vivais au gré des saisons. L'hiver, je dormais sur le dos des vaches afin d'éviter de me faire écraser. Je supervisais également le fils du fermier dans sa tâche de moussaillon de ferme. Je me souviens, par une journée ensoleillée du mois de février 1966, le fermier a dit à son fils: «Ti-nhomme, ramasse toutes les cordes à balles de foin que tu peux trouver dans l'étable et va faire un feu derrière le hangar à grain». Le fils du fermier était un garçon obéissant. En ses veines coulait la serviabilité. Il a fouillé partout dans notre vieille étable pour débusquer toutes les cordes à balles orphelines qui s'y trouvaient. Pour optimiser le tout, il formait des rouleaux d'environ dix cordes qu'il déposait dans un seau. Cet hiver-là, lors de sa première mission, il a dû ramasser une centaine de cordes. Il en avait rempli deux gros seaux. Nous sommes sortis de l'étable et nous sommes dirigés vers l'arrière du hangar à grain. Le père a conseillé d'amener du papier journal et un briquet. Il a fallu trois tentatives avant d'obtenir une cascade de flammes. C'était beau. Je regardais des parcelles de cordes calcinées s'envoler sous l'effet montgolfière. Je regardais l'œuvre éphémère du jeune garçon s'envoler en fumée. Feu feu, joli feu, dis-moi la date de ma propre mort. Sur le chemin du retour, j'ai croisé à nouveau le hangar à grain.

L'été, au temps des foins, je suivais le tracteur Oliver qui, muni du racleur, préparait les rangs pour la presse à fourrage. Je me mettais en mode prédateur et je sautais sur les souris qui tentaient de s'échapper des rangs de luzerne bien sèche. L'été, je prenais beaucoup de poids. Durant l'été 1967, j'ai livré un combat titanesque contre une marmotte. Pour faire comprendre aux autres qu'il ne fallait pas me faire chier, j'ai traîné le corps de la marmotte encore toute chaude devant la laiterie.

Le fermier était un homme drôlement triste. Je connaissais son histoire. Dans la vingtaine, il avait rêvé d'une vie d'artiste nomade. Le plaisir l'emportait souvent sur la traite du matin. Son père était effrayé à l'idée d'avoir un fils menant une vie de bohème. Il était passé chez le notaire pour préparer les papiers qui feraient du jeune homme le nouveau propriétaire de la ferme familiale. Un matin après avoir fauché de l'avoine, il l'avait emmené dans la maison pour signer le contrat de vente. Mis au pied du mur, le jeune homme avait signé et, du coup, il était devenu un autre homme. Puis il s'était marié et avait fondé une famille. Dès lors et malgré lui, le fermier s'était métamorphosé en un homme responsable, beaucoup trop responsable. Plus rien ne pouvait lui procurer du plaisir. Il vivait dans la crainte de voir sa famille en danger ou de déroger à ses devoirs. L'expropriation avait été le coup fatal.

Laissant la terre familiale au profit de la piste 29, le fermier a trouvé une autre terre aux abords de la route 148 et le fils m'a emmené avec eux. J'étais désormais seul pour affronter ce nouveau monde. La nouvelle maison-mère était un plain-pied en briques rouges et brunes. Une maison solide sans artifice.

Mis à part celui du salon, tous les planchers de la résidence étaient en linoléum.

Le fils a commencé à me donner de la nourriture pour chat domestique; une bien triste diète. Mais la nouvelle étable était un Eldorado pour les félins. Le bâtiment penchait vers la gauche. Les murs étaient chaulés chaque printemps et les souris se comptaient par centaines. Seule mise en garde: le fermier utilisait du poison contre les mouches, de petits grains bleus fort appétissants dont je devais me tenir loin. Le cadavre d'un autre chat m'avait convaincu.

Sur cette nouvelle ferme, il y avait un silo bien étrange. L'ancien propriétaire avait confié au fermier qu'il risquait de s'effondrer, car les blocs de béton à sa base étaient terriblement effrités. Le fermier a trouvé une solution inattendue. Il a fait démonter le silo et l'a remonté à l'envers. Il a donc utilisé les blocs de béton d'en haut comme base, car ceux-ci étaient presque intacts, et il a envoyé les blocs effrités au sommet du silo.

Quelques années plus tard, le fermier est mort d'un accident survenu durant l'ensilage du maïs. On a retrouvé son corps entortillé autour d'un arbre à transmission. La veuve, le fils et moi-même sommes déménagés à Saint-Jérôme, dans un appartement. Je suis alors devenu un pacha. J'obtenais tout ce que je voulais et même plus, y compris des jouets que je décousais en moins de deux. Je me suis mis à dormir vingt heures par jour. Comme on pouvait s'y attendre, ma santé jusqu'alors de fer a commencé à décliner. Mes reins se sont mis à traîner de la patte et le fils, bien à contrecœur, m'a fait euthanasier, par son oncle, à l'aide d'une .22. À cette époque, on ne soignait pas les animaux de compagnie, on s'en débarrassait.

Moi, Brigitte des Colères, me suis souvenue de tout cela grâce à l'auto-hypnose. Cette séance a eu lieu lors de ma sixième hospitalisation, ma dernière hospitalisation. J'étais seule dans ma chambre et j'ai expérimenté. J'ai été mon propre cobaye.

Mes chers arquebusiers, cette sixième hospitalisation est chose du passé et je reviens vivre chez ma mère, à Saint-Jérôme.

Il est maintenant temps de faire sauter le pont. J'ai la mèche de dynamite courte. Aujourd'hui, âgée de dix-neuf ans, je reviens chez maman. À cause de mes actes criminels, tout a changé. Mon père est lentement devenu quelqu'un d'autre. Après son départ volontaire, ma mère et moi avons quitté Sainte-Scholastique et sommes allées nous établir à Saint-Jérôme. Oui, j'ai mis le feu à huit fermes de ma propre paroisse. J'ai vu tous les psychiatres de la ville. J'ai payé cher ma pyromanie et une cabane à sucre au repos m'a sauvé la vie, m'a tirée des griffes du froid. Je me souviens de m'être relevée et d'avoir marché dans la neige.

Lorsque, à partir de Montréal, vous venez à Saint-Jérôme par le circuit numéro 9, assis inconfortablement sur un siège d'autobus bon marché, vous voyez défiler, durant le dernier tiers du trajet, à travers les vitres à la crasse éternelle, les commerces de voitures d'occasion (surtout des Oldsmobile) et les mini-centres commerciaux, un *McDonald*, des pharmacies et des motels louant des films XXX. L'urbanisme est inexistant le long de la 117. Vous voyez le bar de danseuses *Le Saint-Pierre*. À Saint-Antoine, le nom du bar de danseuses est en effet inspiré de la sainteté. Le *Gentlemen club* est situé juste en face du buffet chinois. À Saint-Antoine, l'abondance règne.

Puis Saint-Jérôme, la ville la plus triste du Canada, s'offre à votre regard. J'aime cette ville. J'aime son désespoir, la façon qu'ont les piétons de ne pas se regarder, encore moins se saluer. Saint-Jérôme, la ville où a grandi Georges Thurston, alias Boule Noire. « Aimes-tu la vie, comme moi ? » Saint-Jérôme, la ville d'origine de Lionel Giroux, alias Little Beaver. Lorsque les promoteurs américains disaient que le lutteur était de Montréal, ce dernier rectifiait en criant : « Non, Saint-Jérôme ! » Saint-Jérôme, c'est la Dominion Rubber et la Regent Knitting qui, en fermant leurs portes à quelques années d'intervalle dans les années 1970, ont plongé la ville dans le marasme économique. Saint-Jérôme, c'est le chanoine Grand-Maison et le projet d'auto-gérance de la société populaire Tricofil. Leur slogan de 1974 : « Ma fierté, c'est Tricofil, et c'est aussi la vôtre ». Saint-Jérôme, c'est la statue du curé Labelle dans le parc du même nom, qui pointe vers le nord et qui, jadis, pointait vers le Théâtre du Nord, où on projetait des films porno. Saint-Jérôme, c'est l'ancien hôtel Plouffe, aujourd'hui rebaptisé *Le salon d'Édouard*. Du temps du Plouffe, durant les belles années, les ouvriers pouvaient y changer leur paie et la femme du proprio gardait le 26 cents de la paie de 36,26 $. Je me demande si les chambres des étages supérieurs abritent encore cette faune que je voyais un peu partout dans le centre-ville, il y a quelques mois, sans espoir, à la recherche de quelque chose qui semblait perdu.

Saint-Jérôme, c'est Herménégilde sur sa bicyclette. Je le vois sur son vélo depuis que j'ai dix-sept ans. Il porte toujours la même petite veste bleu marine. Où est Herménégilde ? Herménégilde est partout. Je ne lui ai jamais adressé la parole. Je connais son prénom car j'ai déjà entendu un homme lui crier : « Salut, Herménégilde ! » et le grand cycliste devant l'éternel avait répondu : « Rock'n'roll ! ». Je me souviens de la fois où le guidon de sa bicyclette retenait deux sacs qui contenaient des bouteilles de bière grand format. Cheveux au vent, il pédalait avec fougue, mais au coin de la rue, une voiture arrivait à toute vitesse et Herménégilde n'a eu d'autre choix que d'appliquer les freins brusquement. Le projet était voué à l'échec dès le départ, à la sortie du dépanneur. Les bouteilles de bière se sont fracassées sur la chaussée.

Herménégilde ne sacrait pas. Il semblait triste. La voiture klaxonnait. Herménégilde, lui, observait une minute de silence pour le houblon gaspillé.

Saint-Jérôme, c'est le Vieux Shack, resto-bar-discothèque et le Shick, discothèque pour les 21 ans et plus. Et la terrasse du Vieux Shack qui empiète sur les places de stationnement bordant la rue Saint-Georges. Pour le plaisir de prendre une bière en respirant le monoxyde de carbone à plein nez. Et là je ne parle même pas du bruit des motocyclettes. Puis au coin de Saint-Georges et de Latour, le resto Pizza Express, qui offre des pointes à l'unité et des bagarres de fin de soirée. Parfois, un pêcheur taquine le rare poisson de la rivière du Nord. Il doit s'abstenir de le manger. Je me demande ce que penserait saint Jérôme de ma ville. L'auteur de la Vulgate n'en croirait pas ses yeux. Tellement ébloui par l'architecture baroque de la porte du Nord, il remettrait aux autorités de la ville son lion domestiqué au nom de la beauté.

À mon arrivée, ma mère écoute un documentaire sur les anguilles électriques. Elle m'accueille comme seule une mère sait le faire. Elle ne voit pas l'échec de ma vie d'adulte. Non, elle m'accueille comme si j'avais accompli quelque chose de grand. Je n'ai que quelques vêtements dans un sac brun. Ma mère habite un grand appartement. Depuis la mort de mon père, nous ne sommes pas à plaindre financièrement. Elle me demande si j'ai faim. Elle me dit que le frigo est plein. Je me sers un verre de limonade. Et je regarde les anguilles électriques, ces poissons qui donnent l'impression d'être des machines.

J'ai soudainement la brume au cœur. Je m'entends respirer et l'équation mène inévitablement vers la nullité absolue. Maman, j'aurais voulu être une fille différente. J'aurais voulu devenir quelqu'un. J'aurais voulu avoir des petits copains et songer à fonder une famille. Au lieu de ça, tu as une fille de dix-neuf ans qui demeure toujours avec toi. Je déteste quand cette brume ne se dissipe pas.

Je décide de jouer du tambour dans ma tête. Je prophétise à l'aide de mes baguettes-neurones. Plam tipi plam, les coquerelles nous survivront, grossiront, évolueront et finiront par devenir des hommes. Dès lors, les hommes-coquerelles amorceront leur déclin. Plam tipi plam, la maladie mentale n'en est qu'à ses débuts. Elle se transmet par la salive, sous forme de mots. Les plus faibles tenteront de le nier. Les plus forts seront les plus virulents. Plam tipi plam, la seule façon de battre la machine, c'est de profiter de sa marge d'erreur : le facteur humain. Plam tipi plam.

Je retrouve mon chat, Nietzsche. Je baisse le thermostat de ma chambre. Ma mère insiste pour que j'aille porter ma prescription chez le pharmacien. C'est non négociable. Sinon, je devrai payer pension. Elle me conduit en voiture chez l'apothicaire, qui vend aussi des croustilles pour les enfants avec un surplus de poids, des magazines de mode pour les anorexiques et des cartes d'anniversaire bon marché pour ceux qui n'aiment pas vraiment leurs parents. Chemin faisant, elle me dit qu'elle m'aime. Je souris en regardant par la fenêtre. Je monte le volume de la radio.

Ma mère m'invite à souper au restaurant. Elle m'épargne la présence de son copain, Maurice, qui multiplie en ma présence les commentaires racistes et homophobes. Le tout dans un vocabulaire très limité. Elle me demande de me laver les cheveux. J'obtempère. Elle m'emmène au buffet chinois : le Bonzaïppétit. Nous n'avons pas réservé. C'est vendredi soir. Nous attendrons.

Ma mère cherche une place où se garer. Pas évident. Trois imbéciles se sont garés à cheval sur les lignes blanches. À eux trois, ils ont bouffé six places de stationnement. J'espère qu'ils s'étoufferont avec une crevette. Bien qu'elle ait mis son clignotant en premier, ma mère se fait piquer sa place par une Cadillac. Je décide d'intervenir. Je sors de la voiture et je donne un coup de pied sur la portière de l'effronté. Un gros ventru sort du véhicule et m'invective. Ma mère m'ordonne de m'excuser. Je crache par terre. Cet imbécile ne mérite que des maladies cardio-vasculaires. J'insiste sur « des ». L'homme me traite de folle. Je demande pardon à ma mère et je reprends mon siège. Je prie pour qu'elle se trouve une place.

Je demande à Dieu d'exaucer ma prière. Pas pour moi, mais pour elle, qui récite son chapelet tous les soirs. Ma prière est finalement exaucée.

Il y a foule ce soir au buffet chinois. Nous nous mettons en file, ma mère dans sa robe orange brûlé et moi dans mes vêtements désassortis, soit une jupe brune, des bas collants zébrés et un t-shirt rouge communiste. On nous donne un numéro, le 87. Ma mère me sourit. Je regarde autour de moi : des couples qui n'ont rien à se dire, des enfants qui chialent, des vieillards impatients. Nous faisons pitié.

Une jeune Asiatique portant un nœud papillon et une queue de cheval tente tant bien que mal de contrôler la foule belliqueuse. Elle s'essuie constamment le front avec une serviette de table. Une mince lueur d'espoir : je viens de voir passer une boisson fumante avec un petit parasol mauve et rose. La jeune serveuse nous dit que ce ne sera pas long, étant donné que nous ne sommes que deux. Un aquarium a été installé pour nous distraire. Les carassins dorés et les néons grégaires doivent être dégoûtés de voir autant d'humains se marcher sur les pieds pour avoir une table. Mes chers lieutenants, tous les poissons savent nager et tous les humains ont peur.

On nomme le 87. Certains clients dans la file rouspètent en faisant valoir qu'ils sont arrivés avant nous. Je leur fais une grimace. Au buffet chinois, il n'y a pas de meilleure table, l'égalité règne. Je reconnais la serveuse qui remplit nos verres d'eau. Il s'agit de Valérie, l'ancienne gothique, une ex-camarade de classe du secondaire. Elle était le souffre-douleur de la classe. Je me souviens de l'avoir vue, à l'époque, en dehors de l'externat, avec son vernis à ongles et son rouge à lèvres noirs et son t-shirt du groupe Bauhaus. Elle me reconnaît.

– Salut, Brigitte. Tu te souviens de moi ?

– Bien sûr, Valérie.

– Comment vas-tu ?

– Je vais bien.

– Je suis contente de te voir. Je me souviens : tu avais pris ma défense contre Simon Proulx en secondaire deux. C'est drôle, je n'ai jamais oublié. Tu lui avais craché au visage.

– Je me souviens. Ma salive est une arme redoutable. Que deviens-tu ?

– J'étudie à l'université en criminologie et je travaille ici à temps partiel.

– As-tu un copain ?

– Oui, je suis fiancée. Je suis vraiment heureuse.

– Ils t'en ont fait baver, à l'école. Tu ne l'as pas volé, ton bonheur.

– Oh, l'école, c'est facile pour personne. Écoute, j'ai plusieurs tables ce soir. Je dois y aller. Mais je vais repasser souvent.

– Super.

— Je suis vraiment contente de te voir. Oh, j'oubliais. Voulez-vous un breuvage ?

— Je vais prendre une orangeade.

— Et vous, madame ? demande Valérie à ma mère.

— Rien, merci. L'eau suffira.

Ma mère refuse de m'accompagner pour aller quérir la soupe Won Ton. « Je ne veux pas me faire voler ma sacoche. Vas-y en premier. Je vais surveiller nos affaires. » Ma mère ne fait confiance à personne. Je me lève. Je fais du slalom jusqu'au buffet. J'évite les enfants turbulents et les chaises qui reculent sans prévenir. Au moment où je vais prendre la louche, un employé arrive avec un nouveau chaudron de soupe fumante. J'ai de la chance. Les Won Ton ne sont pas à moitié défaits. Ils sont parfaits. Cinq Won Ton et très peu de bouillon. J'ajoute des échalotes et le tour est joué.

Je rejoins ma mère avec mon bol de soupe. Je ne renverse aucune goutte. Dans une autre vie, j'étais serveuse dans un café parisien. Ma mère, elle, ajoute de la sauce soya dans la sienne. Une fois ma soupe terminée, je retourne au champ de bataille pour mon unique assiette. Mes chers ravitailleurs, le buffet chinois fait de l'argent avec moi. J'hésite devant les ailes de poulet. Elles semblent sèches. Puis je suis témoin d'une scène répugnante. Un homme met sa main devant sa bouche pour éternuer et se prend ensuite trois ailes avec ladite main. Je crois bon d'intervenir.

– Hé toi, tu crois que la cuillère est optionnelle?

L'homme fait comme s'il n'avait pas entendu. Mais je sais qu'il a entendu. Je lui souhaite une mort violente. Je décide de me servir quelques moules. Le truc avec les moules du buffet chinois, c'est d'optimiser sa cueillette en évitant les coquilles vides. Il ne faut pas y aller au hasard. Tout doit être calculé. J'ajoute quelques légumes en accompagnement et deux brochettes de crevettes que j'ai déposées deux minutes sur le grill. Voilà, je ne prends pas de riz car le riz, au buffet chinois, est une perte de temps et un véritable gaspillage. Mes chers conquistadors, lorsque les humains ne seront plus au sommet de la chaîne alimentaire, ils commenceront alors à s'entraider.

Ma mère me demande ce que je compte faire de mes journées. Le souper au buffet chinois était un cadeau empoisonné. Elle veut discuter. Je lui réponds:

– Je vais achever le règne de la bêtise humaine.

Ma mère ne me comprend pas. Elle me demande quand est prévu mon prochain rendez-vous chez le psychiatre. Je tente de la rassurer. Chaque mot que je prononce est une aiguille enfoncée dans sa poupée vaudou. Elle et moi concluons un marché. Elle me permet de prendre une semaine de vacances, sans aucune responsabilité. Mais je devrai sortir de la maison tous les jours et revenir pour le souper. Ma mère ne veut pas me voir ne rien foutre dans l'appartement. J'irai donc ne rien foutre ailleurs.

Je me souviens de ma sixième hospitalisation, ma dernière hospitalisation. À dix heures pile, un certain jour, mon psychiatre traitant m'avait demandé de le suivre. Il n'avait pas de temps à perdre. Bien vite, nous étions entrés dans le vif du sujet :

– Je ne crois plus que tu veux te suicider, Brigitte. Je crois que les médicaments donnent de bons résultats. Nous allons te signer ton congé bientôt.

– Avez-vous vu mon labyrinthe ?

– Ton dessin. Bien sûr, ton infirmière me l'a remis. C'est bien que tu dessines, Brigitte. L'art est une bonne thérapie.

– Oui, bien sûr. Peu d'artistes se sont suicidés.

– Je crois que tu n'es plus psychotique, Brigitte. Tu dois laisser la place à des personnes plus malades que toi. Allez, je vais te signer ton congé vendredi et tu pourras retourner chez toi avec ta prescription. Qui est ton psychiatre à l'externe ?

– Le docteur Courtemanche.

– C'est un excellent psychiatre. Tu as beaucoup de chance.

– En effet.

– Bon, on se revoit vendredi, referme la porte derrière toi.

Bien sûr, j'avais laissé la porte grande ouverte. Il était clair qu'il voulait se débarrasser de moi. S'il a des enfants, je souhaite que ceux-ci aient des problèmes de santé mentale plus tard. Malgré tout, j'ai fait d'énormes progrès dans cet établissement, et disons que le fait de ne pas aimer son médecin lors d'une hospitalisation, c'est presque une tradition.

II

Mon retour coïncide avec le cocktail de films organisé par les finissants en cinéma du cégep de Saint-Jérôme. J'arrive par le stationnement. Ce dernier affiche complet. Le cocktail des finissants est un événement très prisé du gratin artistique laurentien.

En zigzaguant entre les voitures, je me souviens d'un homme avec qui j'avais bavardé sur un banc du parc Labelle. Il m'avait raconté qu'à l'époque où il fréquentait le collège, soit au début des années 1980, le stationnement était pratiquement toujours vide. En 1981, peu d'élèves possédaient une voiture, contrairement à aujourd'hui, où un élève sur deux arrive le matin avec son propre véhicule. En 1981, seuls quelques enseignants y garaient leur Monte Carlo ou leur Buick Century.

Bref, je traverse l'agora et emprunte l'escalier menant à la salle Germaine-Guèvremont. Les gens attendent l'ouverture jusque sur le palier. J'attends aussi. Vingt minutes plus tard, une finissante au crâne rasé me remet mon billet, le programme de la soirée et un bulletin de vote. Tout le monde parle d'art et profite du vin d'honneur. Certains mettent leurs lunettes pour prendre connaissance du programme. Ce soir, il y aura deux catégories : les documentaires et les fictions. Les titres des œuvres manquent d'originalité, mis à part *Le monde surprenant de Bruce Mayer*, un documentaire sur les zombies.

Je prends place. Mon siège a été brûlé par les caresses. L'homme assis à ma droite est âgé. Il regarde droit devant lui, livide. Il ne semble pas être accompagné. Je m'imagine alors que sur la toile où seront projetées les productions étudiantes, c'est mon visage que l'on voit. Mon visage en train d'observer le vieil homme. J'imagine ensuite mon visage qui, toujours projeté sur la toile, adopte peu à peu des expressions faciales qui me sont inconnues.

Une jeune femme me tire de mes rêveries en me demandant :

– Il y a quelqu'un à côté de toi ?

– Non.

– Alors je peux m'asseoir ?

– Bien sûr.

Ici se termine notre échange. À intervalle régulier, je pose mon regard sur le profil de cette ingénue à la coupe garçonnière.

Trop de billets ont été mis en vente. Pour remédier à cette erreur, les finissants cèdent leur place aux spectateurs et se retirent à l'arrière de la salle. Ils passeront la soirée debout. Dans une ambiance de fête, les projections commencent avec un léger retard.

Bien sûr, il y a des maladresses et des longueurs. Mais comment être indifférent à l'enthousiasme contagieux de ces futurs magiciens du septième art? Le dernier documentaire est l'œuvre traitant des zombies. L'humour règne dans ce documentaire (la scène d'entrevue avec une fausse *rock star* est hilarante). L'auteur de ce petit chef-d'œuvre a de quoi être fier. La salle Germaine-Guèvremont applaudit à tout rompre son premier opus. Durant l'entracte, je coche vis-à-vis Bruce Mayer, à l'aide d'un crayon à mine offert par un finissant chargé de voir au bon déroulement du vote du public.

– Pardonne-moi, pourrais-tu guetter ma place très convoitée? Je dois aller au petit coin.

– Pas de problème.

– Merci. T'es gentille.

J'ai soudainement une pensée pour *Morphosis,* le court-métrage de mon amie Karine que nous avons réalisé en partie à Grenville-sur-la-Rouge. Je me mets à rire toute seule en me remémorant la voie ferrée. Je me souviens d'Éléonore et de sa jarre à biscuits.

– Merci beaucoup, me dit l'ingénue. Moi, c'est Béatrice, ajoute-t-elle.

– Moi, c'est Brigitte.

– Je ne rate jamais le cocktail de films.

– C'est la première fois que j'y assiste.

– Il serait de circonstance de te demander quel est ton film préféré de tous les temps ?

Sa question m'étonne autant qu'elle m'enchante. Le visage de Béatrice possède un faux côté, ce qui la rend encore plus belle.

– Je dirais *Phenomena,* de Dario Argento.

– Je connais pas.

– C'est l'histoire d'une adolescente qui peut communiquer avec les insectes.

– Wow.

– Il y a un tueur et tout et tout.

– Tu aimes donc les films d'horreur ?

– Oui.

Au même moment, nous replongeons dans l'obscurité pour enchaîner avec les fictions. Béatrice me souhaite : « Bonne fiction. » J'aurais aimé lui demander à mon tour quel est son film préféré, mais elle semble tellement absorbée par l'écran, je n'ose pas.

Après la remise des prix, où un jeune élève portant un veston en velours mauve se voit remettre le premier prix pour son faux documentaire, un finissant assis dans la salle lance à tue-tête :

– Tout le monde chez Plouffe !

Si ce finissant avait appelé le bar par son nouveau nom, soit *Le salon d'Édouard,* personne n'aurait su de quoi il parlait. À Saint-Jérôme, le Plouffe est bien enraciné dans l'inconscient collectif.

– Bon ben, bonne fin de soirée, me dit Béatrice.
– Bonne soirée.

Elle se lève et m'abandonne à mon sort. Qui est cette fille ? J'hésite à me rendre chez Plouffe. Non, ce soir, je vais laisser les cinéastes refaire le monde en paix. Je vais laisser le finissant au veston mauve savourer sa victoire parmi les siens.

III

Quand je suis née, j'étais pleine d'amour. Hélas, je l'ai tout donné à des personnes qui l'ont avalé comme le font les grenouilles avec les mouches. Mes chers haut gradés, je suis un sous-marin qui patrouille l'océan pestiféré. Je torpille les cuirassés; les carapaces qui permettent aux gens de dominer les autres. Je torpille les porte-fistons qui ridiculisent les plus faibles. Je coule les destroyers de la réussite avant qu'eux me bombardent de grenades. Je traverserai le détroit de l'Arrivisme en coupant les moteurs.

Moi, Brigitte des Colères, je ne suis pas ici pour me faire aimer. Amour, ferme tes beaux quenœils et marche vers la lumière. Amour, je te dis non, car j'ai assez souffert. Le traitement a laissé des séquelles, un goût amer sur la langue de mon cœur. Amour, lève-toi, marche quelques pas et précipite-toi en bas de la falaise. Cette falaise est la vie même et en bas, il y a de l'eau, le berceau originel. Moi, Brigitte des Colères, je suis une falaise. Le vent provenant de la mer me force à parler plus fort, à crier. Je marche main dans la main avec moi-même. Je marche main dans la main avec une falaise. Je marche au sommet de la falaise en mettant mes mains derrière mon dos.

Ma pyromanie ne fut qu'une catastrophe parmi tant d'autres. Moi, Brigitte des Colères, je suis revenue vivre avec ma mère dans un appartement au plafond bas situé sous une résidence pour personnes atteintes de déficience intellectuelle importante. Ce qui me sépare de cette résidence est bien mince ; j'entends les cris et les grognements des locataires. J'entends leur langage qui ne contient aucun mot. J'entends toujours le même homme, qui marche en se traînant une jambe dans le corridor situé au-dessus de notre salon. Je ne sais pas s'il traîne la jambe droite ou la jambe gauche. Parfois, il chute. Parfois, j'entends des roues qui traversent le même corridor. J'ai longtemps pensé qu'il s'agissait de patins à roulettes, même si c'était peu vraisemblable. Mais après vérification, ces roues appartiennent au bassin de rinçage de la serpillière.

Hier, troisième jour de mon retour, j'ai visité la résidence. J'ai posé des questions, car je me soucie des personnes atteintes de déficience intellectuelle importante. Toute cette indifférence des bien-portants à leur égard me lève le cœur. La populace dit : « Ils ne sont d'aucune utilité. Nous devrions les éliminer dès la naissance ». Si nous devions éliminer tous les inutiles de la planète, il ne resterait plus grand monde. J'aimerais rester durant des heures auprès des locataires, juste pour être ailleurs. Moi, Brigitte des Colères, j'éprouverais peut-être alors la sensation d'être vraiment vivante.

J'aurais dû me réfugier dans la forêt, là où les langues sont inutiles, et me servir de mon sifflement et de mes sentiments. J'aurais dû me réfugier dans l'architecture des cathédrales. J'aurais dû me réfugier dans une mansarde et étudier les maladies mortelles et dessiner le gigantesque corbeau.

Pour se changer les idées, Brigitte des Colères va aller rendre visite aux résidents qui vivent au-dessus de chez elle. Parce que je les respecte, je passe d'abord dix minutes sous la douche à me savonner. Brigitte des Colères se douche sous l'eau froide. Les douches froides génèrent des pulsions de vie. Durant les premières secondes, je me contorsionne sous l'effet du choc, puis je me mets à chanter. Aujourd'hui, je chante *Avec le temps.* J'ai en tête la version de Dalida. En passant, je ne peux tolérer la présence de l'expression « en dedans » dans une chanson. Et Dieu sait que l'expression est prisée des chanteurs et chanteuses. Mais c'est la faute à la populace. La populace demande l'expression encore et encore depuis des années. La populace veut entendre : « J'ai mal en dedans ». La populace veut entendre : « Ce que je ressens en dedans ». Pour moi, « en dedans », c'est de la paresse artistique et intellectuelle.

Brigitte termine sa douche en se lavant les cheveux. Elle utilise un shampoing à la menthe, ce qui lui procure une sensation de fraîcheur sur le cuir chevelu. Elle sort de la douche, se sèche le corps et les cheveux.

Parce que Brigitte aime les résidents, elle sort de la dépense des compotes de pomme en portions individuelles. Brigitte est maintenant prête. Elle longe la haie de cèdres et cogne à la porte de la résidence. La préposée de jour lui ouvre. Elle lui souhaite la bienvenue. Brigitte aime entendre les grognements et autres sons produits par les résidents. Brigitte aime mieux leur langage que les conversations de la populace. Leur langage oublié est libre de sous-entendus. Ils ne tentent pas de piéger Brigitte.

La préposée demande pardon à la visiteuse pour l'odeur de selles. La visite de Brigitte coïncide avec les changements de couches. Brigitte ne s'en formalise pas. Elle demande si elle peut offrir des compotes de pomme aux résidents. La préposée la remercie infiniment, mais elle se voit obligée de refuser, pour ne pas perdre le contrôle de la situation. Si elle permet à la visiteuse d'offrir des compotes de pomme aux résidents, ceux-ci voudront toujours des compotes de pomme. Ils lutteront contre l'ordre établi pour obtenir des purées de fruits, et ce, même si Brigitte n'est pas présente avec ses petites gâteries.

Les locataires de la résidence pour personnes atteintes de déficience intellectuelle importante doivent vivre dans une routine bien rodée. Sinon, le chaos l'emporte, et la direction n'aime pas le chaos. La direction ainsi que les employés détestent en chœur le chaos. Et Brigitte les comprend. Et Brigitte considère souvent les préposés œuvrant au-dessus de chez elle comme de braves gens. Elle aimerait même parfois utiliser le terme « apôtres » pour les désigner.

Ma mère m'a déjà raconté que le propriétaire de cette maison-ressource conserve les cendres de ses anciens clients dans un meuble de bois sculpté, car celles-ci ne sont que très rarement réclamées. Je laisse la préposée faire son travail. Mais je ne quitte pas la résidence sans avoir salué personnellement tous les résidents. Je sors. Un vent froid me prend aux yeux. Je dois ouvrir la bouche. Jadis, j'étais portée par un vent froid. Et ce vent froid prenait la place de mes yeux.

Au moment de rentrer chez moi, ma mère, qui m'a ordonné de ne pas rien foutre dans l'appartement, me demande d'aller faire ses courses. Dans un monde où le respect est en voie de disparition, je dois choisir pour ma mère des fruits et du poisson frais. Je décide de me rendre à l'épicerie en autobus. Une trentaine de minutes à jongler avec des concepts. Rien de nouveau malheureusement.

L'épicerie est très achalandée. Je dérive devant l'étal du boucher et une grosse bonne femme mal engueulée me ramène à l'ordre. Je passe l'éponge. Je ne dois pas rater le bus de midi quinze. Les poires sont laides et les bananes sont presque mûres. Le poissonnier est un homme moustachu qui postillonne en parlant et la solitude-tyrannie est une musique puissante qui possède plusieurs significations. Je ressens cette tyrannie jusque dans mes cheveux. J'ai oublié les sacs réutilisables. Je dois remettre la monnaie à ma mère. Je marche sur le pavé sec d'un pas pressé. Je transporte les emplettes en songeant aux idées de l'Oubli. Ces idées nombreuses qui meurent avant même de naître. L'Oubli génère des propos que personne n'entend et l'arrêt d'autobus est un confessionnal.

Quand je m'offre au regard, l'infini varie légèrement. L'infini regard de l'autre. La lentille du voisin, l'infini du poissonnier moustachu. En fouillant les modulations, on finit par devenir complètement folle. À l'endos de cette folie, j'écrirai des poèmes d'amour pour le garçon que j'ai jadis aimé, mais qui est mort. L'amour et la folie sont des sœurs jumelles qui se disputent mon âme. Le remède affaiblirait les traces de rage. Je dis : « Bonjour » au chauffeur. Une stupéfiante résistance muette. Je me souviens de mes années d'école. La musique de l'évidence interprétait pour moi la sonate intitulée *Ce sont des rats*. Mon voisin de droite écoute sa musique à tue-tête. Peut-être que le contenu de son oreille se manifestera. Les charmeurs de serpents ne sont-ils pas musiciens ? Et le serpent finit toujours par se manifester. Je rêve d'une manifestation-miroir. Je rêve qu'un homme reçoit la visite d'un fantôme et que ce fantôme est cet homme. Je descends du bus saine et sauve. Je dois faire vite car le poisson n'attend pas.

Je pense à ma mère. Plus jeune, je la haïssais. Mais plus maintenant. J'ai besoin de ma mère. J'ai aussi besoin de ma solitude et je dépose le poisson au frigo. Je regarde ma bicyclette par la fenêtre de la cuisine. L'interprète regarde l'instrument. Je décide d'aller faire une balade. J'enfourche mon vélo. Je songe à la vie. La partition est parfois à l'opposé de la musique, se réduit parfois à une poussée formidable qui frappe un mur de briques. Je me souviens de lui avoir dit que je l'aimais. Chaque fois était différente de la précédente. Mon amour était une métamorphose. Quelque chose de polymorphe. Je descends une pente abrupte. J'applique les freins. Je suis une musicienne. Le vocal s'écrit rarement et les doigts sont parfois soudainement pensants. Je pédale à nouveau.

Le corps est la fatigue de l'inconscience. Je décide d'emprunter la piste cyclable. Je croise des piétons louches. Des hommes ventrus mal rasés. Je rigole. J'aime les hommes ventrus. Sans eux, les femmes seraient constamment en colère. Je croise des mères qui promènent leur progéniture dans une poussette.

Celui qui a inventé la bicyclette en tandem est un imbécile. Seule, je pédale. C'est possible que le monde bloque et il est possible que ma chaîne déraille. La vie intérieure est le parfum de l'artiste.

Je fais du vélo durant deux heures. Je me chrono-mètre. Le besoin de solitude est rédigé dans le temps. Une halte s'impose. J'ai besoin d'une boisson désalté-rante. J'opte pour une limonade dans mon bistro pré-féré : le Bleu Bleu. Je laisse mon vélo sans surveillance. Je suis comme ça. Les ignorants jouent à la roulette russe sans le savoir. Moi, je sais que les hommes et les femmes sont des marionnettes. Mes chers préposés à l'armement, les grandes tristesses sont productives.

À cinq heures et demie, ma mère prépare le poisson et le riz. Avant, je croyais que ma mère était mon ennemie. Mais plus maintenant. Elle est mon alliée depuis qu'elle m'a raconté l'histoire suivante :

Lorsqu'elle travaillait à l'hôpital Sainte-Jeanne-d'Arc comme technicienne en laboratoire, ma mère s'est liée d'amitié avec une patiente. Deux fois par semaine, après le travail, elle quittait le labo et lui rendait visite à sa chambre. Cette femme avait grandi à Saint-Henri, elle souffrait d'un cancer du col de l'utérus et elle était sans famille. Son mari l'avait laissée. Elle n'avait personne à part ma mère et à cette époque, le cancer ne faisait pas de quartier.

Si, au début, ma mère était mue par la charité chrétienne, il n'a fallu que deux rencontres avant qu'elle tisse des liens avec cette femme. Ma mère lui offrait des présents. Une semaine, c'était des oranges. Une autre, une paire de pantoufles et une robe de chambre. Ma mère avait trouvé en cette femme une sœur et cette femme n'était plus seule au monde. Quelqu'un l'accompagnait vers la mort. Elle rendit l'âme peu de temps avant Noël 1969.

Après mes actes criminels, ma mère s'est occupée de moi. Enfant, j'ai aspergé d'insecticide des bourdons qui tentaient de percer la moustiquaire. J'ai écrasé les mouches et les fourmis de la cuisine. J'ai démembré des sauterelles en me demandant si leurs pattes allaient repousser. Je m'en prenais au plus petit que moi. Et si notre mort était toujours causée par quelque chose de beaucoup plus fort que nous? Le Dieu qui me tuera se servira d'un petit instrument pour me ramener à lui. Un jour, j'ai cru que l'instrument de Dieu n'était nul autre que moi-même. J'ignore si mon père massacrait les insectes dans son enfance à lui. Mon père était le Dieu de qui? Mon père a été l'instrument de Dieu envers lui-même.

Aux environs de vingt et une heures, je décide de sortir aller prendre un verre au Code Bar. La barmaid m'accueille chaleureusement. Des hommes d'affaires se donnent rendez-vous pour discuter. Leur démonstration est grossière. À vingt-deux heures, le DJ fait une entrée fracassante. «Théoriquement, je ne suis pas au piano, mais je suis quand même un musicien.»

Lentement, la situation devient lunaire, avec quelque chose des *sixties*.

Je suis à l'origine de tous les esprits frappeurs du Code Bar. Quand j'étais jeune, je me croyais possédée. Les clients me confient leurs secrets, certains font plusieurs mètres. Je leur parle de possession. Je tente de les y amener. Minuit, la foule est en délire. Le style de l'enregistrement se rapproche de la sauvagerie. Le talent théâtral règne. Une femme défend son paragraphe et les œuvres de jeunesse sont souvent révolutionnaires. Mes chers grenadiers, prenez des notes.

IV

La pucelle-coccinelle vivait dans les champs de blé. Le temps des récoltes est arrivé et elle a entendu le bruit des moissonneuses-batteuses. Elle a tenté de fuir, et au moment où elle se croyait saine et sauve, elle a été aspirée par le monstre mécanique de marque John Deere. Elle a atterri dans le ventre de la bête, avec ses semblables. Puis elle a été aspirée à nouveau et a atterri dans une boîte à grain. Sous un soleil de plomb. Une fois devant le hangar à grain, elle a entendu un nouveau moteur démarrer. C'était la vrille qui allait être utilisée pour vider la boîte à grain. Lentement, le grain passait de la boîte à grain au hangar. La pucelle-coccinelle se sentait comme dans un sable mouvant. Peu à peu, ses semblables disparaissaient dans la vrille. Certaines étaient déchiquetées. D'autres avaient plus de chance et se retrouvaient dans le hangar à grain, saines et sauves. Puis la pucelle-coccinelle est également passée dans la vrille. Elle a récité son Notre Père et Notre Père des pucelles-coccinelles a exaucé son vœu. Son vœu n'était pas de périr mais bien de survivre.

Désormais, dans le hangar à grain, une nouvelle forme de vie s'offrait à elle. Des prédateurs les pourchassaient, elle et les autres de son espèce. Elles étaient des proies faciles. Les prédateurs s'alimentaient. Parfois, ils laissaient la carcasse. Jamais le fermier n'est venu empocher le grain. Non, il laissait les monticules en plan. Puis, un jour, la pucelle-coccinelle a vu un jeune homme entrer dans le hangar à grain. Elle lui a demandé son nom. Il s'appelait Antoine. Il aimait s'amuser dans le hangar à grain. Lui et la pucelle-coccinelle sont devenus amis. Se croyant sauvée, la pucelle-coccinelle a repris goût à la vie. C'était hélas sous-estimer l'hiver, car le hangar à grain n'était pas chauffé. La pucelle-coccinelle est morte de froid, comme toutes celles qui avaient jusqu'alors survécu au massacre.

En cette belle journée du printemps, je décide d'aller perdre mon temps au centre commercial. Je traverse mon quartier défavorisé favori : la paroisse Sainte-Paule. À côté des immeubles à logements, il y a de vieilles bagnoles. Aucune d'entre elles ne s'absente de son stationnement durant le jour. Rares sont les locataires qui partent travailler. Je croise deux hommes qui tentent de rafistoler une Chevrolet rouillée. Ils m'offrent une bière pour obtenir plus. Je refuse. J'attends aux feux de circulation et traverse le pont. Je regarde en bas si un désespéré ne s'y trouve pas avec les deux jambes cassées, car l'eau est peu profonde. Non, personne. J'arrive au centre commercial essoufflée, car mes médicaments me rentrent dedans et affectent mon endurance physique.

Je passe par la pharmacie pour m'acheter une tablette de chocolat. L'apothicaire est toujours gentille avec moi. Elle doit se dire : « Il faut toujours être gentille avec les personnes qui prennent des antipsychotiques. On ne sait jamais. » Je lui rends la pareille en me méfiant moi aussi. Je jette un coup d'œil aux cosmétiques. Je ne me maquille jamais, mais j'aime regarder les mères de famille dans la quarantaine qui tentent de ralentir le vieillissement de leur peau. J'ai juste à regarder la cosméticienne pour me convaincre du grotesque de leurs produits.

Aujourd'hui, dans l'agora du centre commercial, il y a une exposition de tableaux. Ceux-ci sont des œuvres de débutants. Puis je comprends qu'il s'agit d'art thérapeutique. Je m'informe au kiosque. L'organisme qui a planifié l'expo est un groupe d'entraide pour les personnes atteintes de maladies mentales. Des gens comme moi. Certains tableaux témoignent d'une grande douleur. Puis je m'attarde sur un texte. On dirait un collage de mots :

La raison est la suppression de ce processus de l'observation élevée à la vérité, objet, la suppression d'instinct de trouver de son monde et la catégorie donnée l'être-là de cette esprit mais dans la conscience, à l'intuition, *la cèdent; au cours maintenant se sait lui comme l'être pure catégorie, le* Soi. *Mais cette déter-mination même de l'essence* observante *cette soi opposé à l'être-en-mination de la catégorie Être, et la consciêtre déterminée pour la soi-même.*

Je cherche du regard l'auteur de ce petit chef-d'œuvre. Je croise le regard de Béatrice. Elle me sourit et s'approche de moi, timidement.

– On se retrouve.

– Salut, c'est toi qui a créé ce collage?

– Oui, me répond-elle avec le sourire de la petite gêne.

– J'adore. Tu as jeté le Rationnel par-dessus bord.

– J'ai fait des *cut-up* avec un extrait d'un livre de Hegel. C'est à mi-chemin entre l'art visuel et l'écriture.

Plus elle me parle, plus elle laisse voir involontairement sa douleur. Sa folie a des élans que mon cœur reconnaît. Je l'invite à aller prendre un café. Elle me répond:

– Je vais au Silo, demain soir. Tu veux venir avec moi?

Je lui réponds que oui, en ignorant tout du Silo. Béatrice tremble légèrement des mains. Amour, je me ravise et te dis: «Peut-être».

Je pense à elle tout au long du souper. Ma mère me demande en souriant pourquoi je souris. Je n'ose pas lui révéler l'existence de Béatrice, de peur qu'elle me réponde que mon cœur s'emballe à rien. Vers vingt et une heures, je décide d'aller prendre une bière. Je descends la rue Fournier. Sortir seule. Je m'imagine marcher sur une plage. Tout ce que la mer ramène à la terre. Puis j'imagine une compagne pointer un billot de bois pourri, en disant : «C'était peut-être un radeau?» Je songe simultanément aux victimes et aux survivants des catastrophes.

V

Je me souviens de ma sixième hospitalisation, ma dernière hospitalisation. Un soir, après le souper, qui se terminait aux environs de cinq heures quinze (oui, en psychiatrie, nous soupions tôt), on nous avait invités, nous les patients du quatrième aptes à sortir en public, à faire une promenade dans les environs de l'hôpital. J'avais accepté, car ces sorties étaient toujours le théâtre de scènes loufoques, pour ne pas dire gênantes. Nous étions six : Claire-le-cœur-brisé, Marion, Fabrice, Robert, François-le-poète-sans-fin et moi-même. Nous étions accompagnés par le préposé. On nous avait demandé d'apporter de l'argent de poche. Ça sentait le *Tim Horton's* à plein nez.

Dans l'ascenseur, Robert nous avait fait part de ses états d'âme. «Moi, ma chanson préférée, c'est *Take My Breath Away* du groupe Berlin, tirée du film *Top Gun*, en 1986», nous avait-il confié. Le gardien de sécurité posté à l'entrée de l'aile psychiatrique s'était assuré que nous étions accompagnés d'un préposé.

Mes chers francs-tireurs, je crois qu'il faut faire de la bedaine pour être accepté comme agent de sécurité. Robert avait fait quelques étirements avant de descendre l'escalier de l'entrée principale. Il prenait cette promenade très au sérieux.

Comme premier paysage : le stationnement des employés de l'hôpital. Je m'amusais à retenir dans ma tête les plaques d'immatriculation. François l'avait deviné et m'avait dit : « J'aimerais créer un poème avec ces plaques d'immatriculation ». L'idée me plaisait. Ce serait un poème sur les conspirations. Claire semblait songeuse et Fabrice s'était mis à marcher à ses côtés, au même rythme. Ils discutaient à voix basse. Je venais de comprendre quelque chose. En psychiatrie, les patients se traitent entre eux. Ta folie se confronte à la folie de l'autre, ou dans ce cas-ci, un patient tentait de soutenir une autre patiente. Marion préparait quelque chose. Je le voyais dans ses yeux. Marion, ma complice dans la révolte, ma sœur d'armes. Comme une fronde, elle avait demandé au préposé, âgé dans la trentaine : « Es-tu homosexuel ? ». Elle l'avait mis dans l'embarras. Elle aimait ce qu'elle voyait. Moi aussi.

Derrière le stationnement des employés de l'hôpital, il y avait une résidence pour personnes âgées. J'avais aperçu des pensionnaires qui profitaient de la terrasse. Ils avaient une vue imprenable sur le stationnement. J'étais en colère pour eux. Puis, j'avais remarqué une vieille femme qui était assise sur une chaise de patio. À côté de la chaise, il y avait une marchette. La femme s'était levée, le regard dans le vague. Elle avait pris sa chaise pour sa marchette et tentait d'avancer. Elle avait heurté à plusieurs reprises la table derrière elle, sur laquelle il y avait des pots de fleurs. Un pot s'était fracassé contre le sol. Un préposé était arrivé. Il parlait sèchement à la vieille femme et avait remplacé sa chaise par sa marchette. La vieille femme ne réagissait pas. Je crois être la seule de notre groupe à avoir été témoin de la scène. Si, un jour, je deviens vieille, je ferai baver mon entourage.

Nous avions traversé un petit boisé aménagé. Pas le temps de prendre une pause. Nous avions poursuivi notre périple en longeant une rue. Je m'amusais à vérifier si les automobilistes avaient mis de l'argent dans les parcomètres. Mes chers parachutistes, les Jérômiens sont disciplinés. Robert s'était immobilisé pour replacer son bandeau. Il avait perdu de nombreuses secondes. Nous remontions la rue. Nous faisions notre chemin de croix. Soudain, Fabrice avait chuté. Claire l'avait aidé à se relever. Puis le préposé nous avait annoncé que nous allions arrêter au *Tim Horton's*. J'avoue qu'un café avec un beigne glacé à l'érable, ça ne pouvait pas faire de mal. Le *Tim Horton's* situé à proximité de l'Hôtel-Dieu fait des affaires d'or, et ce, depuis des années. Personnel hospitalier et patients font la queue à toute heure de la journée ou presque, sans compter les locataires des immeubles pour personnes âgées situés à deux pas.

Bref, nous étions entrés. Marion m'avait demandé si je pouvais lui prêter de l'argent. Le préposé était contre l'idée. Je lui avais dit poliment d'aller se faire foutre et j'avais payé à ma camarade un café et un beigne. Marion aimait les beignes triple chocolat. Robert hésitait entre plusieurs choix. Le commis à la caisse avait des nerfs d'acier. Il en avait vu d'autres. Nous occupions deux tables. Nos échanges verbaux étaient peu abondants et le café était délicieux.

Béatrice m'a téléphoné. Ce soir a lieu le Grand Ramalu. Elle voit mon retour au bercail comme une prophétie. C'est une artiste. Elle passe me prendre aux alentours de vingt-deux heures.

— Je déteste les foules dans les centres commerciaux. Durant un spectacle, au moins, les gens regardent tous dans la même direction. Tu comprends, Brigitte ? me demande Béatrice, au volant de sa minoune.

Oui, je comprends tout à fait. En chemin, nous chantons à tue-tête des chansons de Billy Idol, car la radio a rendu l'âme depuis belle lurette. Première halte : le dépanneur, pour acheter de la bière et des Tostitos. Je demande à Béatrice quel genre de salsa conviendrait. Elle me répond :

— Prends la plus forte, nous vivons dangereusement.

Côté houblon, nous optons pour la quantité. Devant la caisse enregistreuse, il y a une plaque chauffante avec des saucisses à hot dog. Béatrice nous achète deux hot dogs. Lorsque le commis pique la première saucisse, celle-ci résiste à l'envahisseur. Je devine qu'elle a été congelée, puis décongelée, puis recongelée, et ce, sans considération pour la clientèle. Qu'à cela ne tienne, la moutarde sauvera l'affaire.

Nous poursuivons notre odyssée vers les épices de la vie. Nous roulons en direction du parc industriel de Saint-Eustache. Ce soir, nous festoierons avec les désaxés du parc. Nous zigzaguons. Béatrice sait ce qu'elle fait. Puis, j'aperçois le Silo. Lieu déjà mythique. Au beau milieu du parc industriel existe un Eldorado. De vieilles bagnoles sont garées de façon anarchique. Une étable désaffectée tente de survivre avec un peu de dignité, en retrait, dans l'ombre du Silo. C'est un silo à maïs en béton converti en local de répétition pour le groupe d'un ami de Béatrice. Il y a un loyer à payer et une porte cadenassée. Le Silo est divisé en deux étages. Une toilette, des divans miteux et un système de son font office de mobilier au rez-de-chaussée, et un escalier sans rampe rend l'accès au deuxième étage plutôt risqué. De nombreux cas de chutes sont enregistrés dans la mémoire collective. Aucun blessé grave, heureusement. L'alcool a amorti les chutes.

Nous sommes accueillies en sauveuses. On nous arrache presque nos sacs des mains. On nous souhaite : « Joyeux Ramalu ! » À l'étage, un groupe interprète *Master of Puppets* de Metallica. Les barbiches sont légion, tout comme les lunettes à grosses montures. Nous sommes une cinquantaine à avoir répondu à l'appel du Ramalu. On m'explique que le Ramalu est fêté tous les étés. Il ne coïncide avec rien de spécial. Un soir, Béatrice s'est écriée : « Il faut avoir notre fête, nous, les *politically* tout croches. Baptisons-la le Ramalu ». Elle n'a jamais voulu dévoiler d'où lui est venu le nom.

Une fois la pièce maîtresse de Metallica terminée, Ross, le chanteur-guitariste, descend pour nous souhaiter la bienvenue. Béatrice lui fait remarquer qu'il a pris du poids. En guise de réponse, il retire son chandail, se crache sur la bedaine et étend sa salive avec ses doigts. Je me tords de rire. Je monte à l'étage. D'énormes amplificateurs et une batterie couverte d'autocollants nous assurent des troubles auditifs à moyen terme. Le plancher du deuxième doit supporter, à l'aide de poutres métalliques, le poids de cet équipement et quatre musiciens bien portants. Cette nuit, la porte n'est pas cadenassée. Des cinéastes aux études, au repos, en révolte, sont vautrés contre leur gré dans les divans défoncés. Le groupe de Ross répète et l'inévitable survient : Béatrice déboule l'escalier avec le fou rire. Je renoue avec l'avenir au contact de ces filles et garçons de mon âge qui portent des t-shirts des Stooges.

– Merde, tu es trop blême. C'est trop cool, me complimente une jeune gothique aux allures de Pierrot Lunaire version goudron.

Béatrice me donne un bec sur la joue. Et elle poursuit :

– Comme je disais à Luc : Nietzsche a dit à Platon : « T'es dans le champ » et Darth Vader a fait la Loi. Point final.

Tout le monde s'esclaffe.

– Brigitte, je dois te raconter. L'autre jour, j'étais avec des amis. On n'avait rien à foutre. On était ici et on a décidé d'aller à l'aventure. Bière à la main, rage au cœur, on arpentait le parc industriel. On a marché jusqu'aux commerces de la 15e rue. Et là, on a vu une pancarte aux lettres amovibles. C'est alors que je me suis mise à changer les lettres de place, et après une demi-heure de travail intellectuel et manuel, on est parvenu à ce résultat.

Béatrice me présente une photographie. Sur la pancarte, on peut lire : « La grosse suce pour un rien ». Je rigole. Puis, je réalise que mes potes ont trafiqué le langage.

– Mais j'ai commis une erreur. J'aurais dû aussi photographier la pancarte avant nos expérimentations, me dit Béatrice.

Je décide de monter à l'étage et de m'installer derrière la batterie. «Esprit de John Bonham, manifeste-toi.» Je m'inspire de ce batteur et je me lance. J'essaie de maintenir le rythme. Je crois être pas si mal. Bien vite, les membres du groupe de Ross montent à l'étage et empoignent leur instrument, exception faite du batteur qui me regarde aller. Le guitariste fait glisser son médiateur sur ses cordes et produit un son qui ressemble à un coup de tonnerre. Il descend une gamme à toute vitesse et plaque les premiers accords de *Paranoid* de Black Sabbath. Béatrice m'encourage par des applaudissements.

Au moment où le chanteur s'apprête à entamer le premier couplet, Béatrice lui vole le micro et se met à chanter, avec du chien. Elle lance parfois des «Ah» sur les temps forts. Au refrain, elle décide d'improviser. Elle pousse, en tenant la dernière note: «Mon beau André / T'as les deux pieds dans le baril de Kentucky / Je ne t'ai jamais aimé.»

Le solo de guitare pourrait engendrer la cécité. Puis, en sautant dans les airs, Béatrice donne le signal de la fin. Je suis en sueur et le batteur résident me félicite.

Dehors, trois Rockabillies se peignent avec frénésie pendant que Foufou tente de faire démarrer le bulldozer garé à l'arrière d'une industrie. Foufou parvient à ses fins et s'amuse à conduire l'engin.

Le père de Foufou est opérateur de machinerie lourde et il a transmis ses connaissances à son fils alors que celui-ci était encore à l'école primaire. Je ne cadre pas avec eux. Contrairement à Foufou, je ne porte pas de tatouages. Contrairement à la jeune gothique, ma coupe de cheveux n'a rien d'extraordinaire. Les montures de mes lunettes n'ont rien d'*underground*. Je ne porte même pas de lunettes. Pourtant, je suis parmi eux. Ils aiment la pâleur de ma peau. C'est par mon épiderme que je manifeste mon dégoût pour le monde. Je partage avec eux ma haine des plans de carrière et des réveille-matin. Nous parlons la même langue. Ça fume, ça boit, ça hurle de rire, ça oublie, ça utilise la langue, ça se frotte les yeux. Le Grand Ramalu est un franc succès. Puis Béatrice et moi décidons de nous balader dans le parc industriel.

– Dis-moi, Béatrice, as-tu l'intention d'étudier la littérature ?

– Non, les arts plastiques. Je retourne au cégep, la session prochaine.

Et hop, ça survient à nouveau. Le *black out* de l'idée à venir. Je cherche ce que je voulais dire, mais je l'ai perdu dans les immondices de l'esprit. Je ne veux pas que cela paraisse. Je cherche une porte de sortie. Je prends celle qui mesure trente mètres de haut.

– Changement de sujet, est-ce que tu sors avec un garçon ?

– Lui croit que oui. Mais moi je dis non. Brigitte, j'ai pris une décision. J'ai décidé de faire du mal aux garçons qui tombent en amour avec moi.

– Pourquoi ?

– Parce que c'est tout ce qu'ils méritent. Je me tiens avec des rebelles, mais au fond, ils font pitié. L'autre jour, un gars m'a montré son tatouage de Viking. Il était fier. Je commence à penser que porter un tatouage, c'est comme se mettre de la brillantine dans les cheveux. Leurs tatouages de samouraï, leur façon de parler, leur pseudo-révolte, c'est de la merde. Ils sont contre ce qu'ils ne peuvent obtenir pour l'instant et lorsqu'ils l'obtiendront, ce à quoi ils s'opposaient jadis deviendra *in*. J'ai l'intention de frapper là où ça fait mal. Quand je leur dis que je ne les ai jamais aimés, je peux voir qui ils sont vraiment. Je vois derrière leurs tatouages et leur jargon. Brigitte, avec moi, ils cherchent leurs mots et portent des manches longues. Et toi, sors-tu avec un garçon ?

– Non.

Béatrice sourit.

Sur le chemin du retour, nous chantons : « Moi, je connais une fille qui s'appelle Shirley ».

VI

Je me réveille sans réaliser que dix heures se sont écoulées. C'est toujours comme ça. Avant, je sentais que le sommeil s'était pleinement épanoui. Maintenant, il passe comme un éclair. Je m'endors et hop, je me réveille dix heures plus tard. C'est la faute aux médocs. Après une longue douche, je me brosse les dents et je fais saigner mes gencives. Hier se terminait ma semaine de vacances et aujourd'hui, je vais remplir une demande d'emploi au bureau des ressources humaines de la ville de Saint-Jérôme. Lors d'un événement mondain jérômien, le surintendant des services municipaux a soufflé à l'oreille de ma mère qu'il cherchait des employés pour l'été et ma mère sait très bien que j'aime les métiers non traditionnels pour les femmes. Sur la demande d'emploi, je dois spécifier «espaces verts». Mais surtout, aujourd'hui, je rencontre Béatrice au Bleu Bleu pour prendre un café. Sa voix au téléphone était endommagée. Je ne vis que pour ce rendez-vous galant, ce café entre copines.

Parce que Brigitte des Colères a faim, je dois déjeuner. Direction Chez B, là où les déjeuners sont un dollar de plus passé onze heures. Le bureau des ressources humaines est situé juste à côté de la cathédrale du centre-ville. J'irai déjeuner pour ensuite aller postuler. Au coin d'une rue, il y a un bar et ses piliers. Mes plans changent. J'irai déjeuner après avoir rempli le formulaire d'emploi. Je pique à travers un terrain vague et me retrouve dans le centre-ville de Saint-Jérôme. Je monte l'escalier menant au bureau des ressources humaines, j'ouvre la porte et l'air climatisé me frappe de plein fouet. Le bureau est situé à l'étage, c'est clairement indiqué. Tout est peint en bleu, les escaliers, les rampes, les murs, les calorifères, les portes. J'ouvre la porte des ressources humaines. La secrétaire, début quarantaine, est occupée au téléphone. Le contraire m'aurait étonnée. Elle semble toutefois sympathique à la cause des gens. J'attends. Je feuillette des prospectus sur l'environnement. Elle raccroche. Je demande un formulaire de demande d'emploi. Je peux remplir le formulaire dans la petite salle située dans le couloir. Je remercie la secrétaire fin quarantaine. Je demande un stylo. Elle me demande de le ramener.

J'ignore si je suis observée. Je referme la porte de la petite salle. Tout est peint en bleu, sauf la chaise. Je me familiarise avec le formulaire. Pour obtenir un emploi à la cité, je dois obligatoirement habiter la cité et la cité se donne le droit de vérifier toutes les informations. J'inscris mon nom puis marque une pause. Je poursuis. Il existait une enfant qui ne signait jamais ses dessins. Plus vieille, elle signait ses copies d'examen du nom de Ted Bundy (on la reconnaissait par l'originalité de ses réponses). Je ne dois pas faire d'erreurs. Je fais l'historique de ma scolarité. J'ai réussi à survivre à l'école secondaire. J'ai gardé des blessures morales. Certains sont jeunes, beaux et savent faire briller leurs atouts. Certains font voir leur confiance. Ai-je des passe-temps ? Si oui, lesquels ? Je réponds à la blague la lecture, le plein air et les voyages. Je dresse l'historique de mes emplois précédents. Je fignole mes réponses. Je relis le tout une dernière fois. *Espaces verts.* Je remets le formulaire dûment rempli à la secrétaire. Elle me remercie. Elle vérifie de manière sommaire si tout est conforme. Si je suis sélectionnée, on me téléphonera.

Je me dirige vers le restaurant chez B. Je songe à Béatrice. Je songe au mal qu'elle peut se faire. Nous nous automutilons sans cesse l'âme pour nous convaincre de notre existence. Je me fais du mal, donc j'existe encore. Après une grossesse difficile, ma mère a accouché de moi. Les enfants l'emportent souvent devant l'oppresseur. L'enfance est un deuil ; une perte quotidienne remplacée par des connaissances illusoires. Mon souvenir le plus lointain est une chute. J'étais tombée de ma chaise berçante. Mais certains de nos souvenirs seraient en fait des créations artistiques. Impossible donc de différencier le vrai du faux ; le vécu de l'imaginaire. Suis-je vraiment tombée de ma chaise berçante en regardant des dessins animés ? Peut-être. Voilà deux mots séparés d'un trait d'union qui en dit long. La véritable base de tous nos systèmes, de toutes nos craintes. Un jour, quelqu'un affirma quelque chose et un autre ajouta « peut-être », semant ainsi le doute chez tous ceux qui préparaient la guerre.

Je regarde des deux côtés de la rue avant de traverser. Quelqu'un me tient la porte. Je le remercie. Comme à l'accoutumée, le resto est bondé. Il y a toutefois une table de libre au fond. J'attrape un journal au passage et je prends place.

Enfant, je passais des journées entières près du ruisseau. Je vivais en bordure de ce ruisseau, sous les ponceaux qui domestiquaient le ruisseau. Le ruisseau me rendait heureuse. J'y pêchais le mené à l'aide d'une branche, un hameçon suspendu au bout d'un fil de pêche, avec un poids et un morceau de tige de quenouille en guise de flotteur. Je soulevais toutes les pierres que je pouvais soulever. Un royaume s'offrait alors à moi. À tout coup, l'eau du ruisseau pénétrait dans mes bottes. Les chaussettes détrempées, je poursuivais mon odyssée. Rien ne pouvait m'arrêter. Je sens une main sur mon épaule. Je me retourne.

– Oh, excuse-moi. Je t'ai prise pour quelqu'un d'autre. Bonne journée, me dit une femme dans la vingtaine, habillée en jogging.

Je suis en avance au Bleu Bleu. Je m'installe à une petite table qui donne sur une fenêtre grand format. Le Bleu Bleu est un café bistro avec une terrasse sympa. Les profs du collège y dînent ou y corrigent leurs copies d'examen. Côté musique, le Bleu Bleu nous offre invariablement de la musique sud-américaine. Le café est très corsé et les sandwichs sont chiches. Celui au *smoked meat* ne contient que deux tranches de viande fumée! Par chance, le potage du chef est fameux.

La serveuse vient me voir. Je lui dis que j'attends quelqu'un. Elle me sourit. Je regarde les autres spécimens de clients. L'envie de leur imaginer des conversations de mon cru est envahissante. Je me lance. À la table du fond, un homme discute avec une femme. Dans ma version, le couple désassorti prépare un vol de banque. Ils décident de creuser un tunnel à partir de la rive de la rivière du Nord, sous la promenade, jusque dans le sous-sol de la caisse pop du centre-ville de Saint-Jérôme. Leur plan est amateur comme leur coupe de cheveux. La femme complimente son homme pour son génie stratégique. La pauvre est aveuglée par l'amour. À une autre table, un vieil homme discute avec un autre homme lui aussi du troisième âge. Dans ma version, le premier demande au deuxième s'il aime lorsqu'il lèche sa cicatrice située au thorax lors de leurs ébats amoureux. Le deuxième lui répond que oui, car cette cicatrice fait partie intégrante de son corps. À une autre table, une fillette discute avec sa mère. L'enfant avoue qu'elle s'automutile pour ressentir quelque chose de vrai. La mère panique car elle-même se mutilait lorsqu'elle était enfant et qu'elle se mutile encore.

Béatrice arrive. Elle porte des vêtements beaucoup trop chauds. Je me lève et lui serre la main. Puis je tends la joue pour qu'elle me donne un petit bec. Je sens dans son souffle une légère hésitation. Nous commandons. Ce sera pour moi un bol de café au lait tandis que Béatrice choisit un chocolat chaud. Elle cherche ses mots. Je remarque des résidus blanchâtres à la commissure de ses lèvres. Je le lui fais remarquer. Elle m'explique que c'est à cause des médicaments. Elle déteste ça. Je lui réponds que j'en ai parfois moi aussi, car moi aussi je prends des médicaments. Cette confession lui enlève un poids de sur les épaules. Je l'aide à entretenir la conversation. Peu à peu, elle prend de l'assurance. Mais parfois, elle perd le fil de la conversation.

– Moi aussi, parfois, je perds le fil.

– C'est mieux ainsi. Souvent, ça devenait hors de contrôle et je souffrais beaucoup. Maintenant, je n'ai plus mes éclairs de génie, mais je souffre beaucoup moins. Et toi, souffres-tu beaucoup ?

– Je suis retournée vivre avec ma mère. Je crois que je la rends malheureuse, mais je n'ai nulle part où aller. Elle m'aime parce que je suis sa fille. Si j'étais une inconnue, elle penserait que je suis une petite révoltée qui cherche l'attention. Mais parce que je suis sa fille, je crois qu'elle a tenté de comprendre ce tumulte que je porte en moi. Je sais que je dois faire des efforts. As-tu déjà exprimé ta révolte haut et fort?

– Oui. Il y a deux mois, j'ai assisté à une conférence donnée par un auteur professionnel. L'auteur était venu nous rencontrer au local des *Doux Nocturnes*. Le sujet de sa conférence était *Comment écrire un récit de vie*. L'auteur a commencé sa conférence par une énigme qu'il nous fallait résoudre. Nous devions séparer un troupeau de moutons en fractions. C'était un piège. J'ai eu l'impression que j'avais quelque chose à prouver. Je voulais absolument trouver la réponse à son énigme. Mais au nom de quoi? Au nom de qui? Je me sentais de retour sur les bancs d'école. C'était fort désagréable. Puis l'auteur a frappé sur la table pour obtenir le silence. C'était décidé: je n'aimais pas cet homme. Vers la fin de sa conférence, il a cité un extrait de son propre livre. Je me suis alors levée et j'ai crié: «Ça suffit». On a mis mon intervention sur le dos de la schizophrénie, car la schizophrénie a le dos large. Mais je sais que toi tu me comprends.

– Oui, je comprends. C'est quoi *Les Doux Nocturnes*?

— C'est le groupe d'entraide dont je fais partie. L'exposition au centre commercial était un de leurs projets.

— Pourquoi *Doux Nocturnes*?

— Comme tu le sais sûrement, les nuits sont très fertiles en idées psychotiques. Les hallucinations auditives sont souvent plus prononcées durant la nuit. On est seul dans notre lit et on angoisse. On dort rarement la nuit. Les *Doux Nocturnes,* c'est un peu de l'anticipation positive.

— Tu es tellement intelligente.

— Brigitte, parfois, j'aimerais mieux être morte.

— Et si tu te retrouves en enfer?

— L'enfer, c'est lorsque tu vois le bonheur des autres et que tu sais que ce bonheur, tu ne le vivras jamais. L'enfer, c'est lorsqu'on exige de toi d'aspirer au bonheur et que toi tu sais que c'est impossible. L'enfer, c'est vivre dans le paradis des autres. Toi, pourquoi veux-tu vivre?

— Parfois pour anéantir la bêtise humaine. Parfois pour accumuler les expériences. Souvent pour tenter de comprendre mes semblables. Pas facile.

— Tu ne parviendras pas à anéantir la bêtise humaine. Elle est invincible. La bêtise humaine s'est toujours relevée. Elle est insubmersible.

— Mais avec tes créations, tes *cut-up,* tu pourrais tenter de détruire la Raison?

— Avec quoi?

– Des bombes irrationnelles. Tu pourrais saboter tous les livres en rendant leur contenu illogique. Les livres étant devenus illogiques, le savoir ne pourra plus se transmettre et faire des ravages.

– Des bombes irrationnelles. Il n'y aurait que moi qui les verrais exploser. Les rationnels regardent tout de derrière leur armure. Lorsqu'ils font face à l'irrationnel, ils l'analysent avec tout leur système-plomberie, pour se protéger. Brigitte, tu es une fille vraiment intelligente. Même ton projet de destruction de la Raison en sabotant les livres est un projet qui fait appel au rationnel.

– Le paradoxe de Brigitte. Selon toi, il n'y a rien à faire ?

– Oui, quitter ce monde. Qui sait ? Peut-être serons-nous projetées ailleurs ? Un lieu de paix et de sérénité. Moi, je crois qu'il existe des paradis sans Dieu.

– Tu sembles en être sûre.

– Si les gens comprenaient nos psychoses, ils réaliseraient qu'ils n'ont aucune imagination et que les psychotiques sont les vrais créateurs. Selon Einstein, l'imagination est plus importante que la connaissance. Tout ce que j'ai vu et entendu me donne l'espoir que quelque part, près de l'irréel, il y a des lieux magnifiques. J'ai vu des formes, des lueurs et des intérieurs qui ne formaient qu'un avec moi. L'indicible existe.

– J'en parle rarement, mais mon père s'est suicidé.

– Quand ?

– Quand j'avais seize ans. Mes actes criminels et mes thérapies infructueuses l'ont plongé dans une profonde dépression et il s'est pendu dans le sous-sol. J'ai su qu'il projetait de se suicider lorsqu'il a cessé d'aller communier. Il devait se séparer de Dieu pour pouvoir accomplir sa sortie de scène.

Ran Ran Ran
Je suis la bête du Gévaudan
Semant la mort autour de moi
Ça tombe, ça crie, ça grince des dents
Suis-je une corde ? Un porte-voix ?
Non, je suis la bête du Gévaudan
Ran Ran Ran

– Béatrice, j'aimerais te proposer quelque chose.

– Vas-y, je t'écoute.

– Je pourrais venir passer la fin de semaine chez toi. Qu'en dis-tu ?

– En amoureuses ?

– C'est trop tôt ?

– Peut-être bien. Faisons une autre sortie avant.

– Je suis vite en affaires. Pardonne-moi.

– Je te pardonne. Ce n'est pas grave.

Nous discutons de tout et de rien. Les sujets sont variés : la fin du monde, les loups-garous et tout le reste avec un soupçon de haine. Béatrice me parle de son adolescence, de sa chambre à cette époque.

Celle-ci était en désordre : un lit d'eau, un poster de grenouilles, une télévision, un synthétiseur, des vêtements un peu partout et *La métamorphose* de Kafka. Elle avait l'intention de devenir dictatrice, d'obtenir les meilleures notes possibles afin de rentrer dans la meilleure université. Elle voulait tout connaître de la politique internationale. Elle aurait ensuite renversé le gouvernement d'un pays en difficulté qu'elle aurait renommé, une fois au pouvoir, la Béatricie. Elle aurait été une dictatrice sanguinaire. Dans son pays, il y aurait eu des camps de travail pour ceux qui n'auraient pas été de son avis. Elle aurait habité un château. Dans son château, il y aurait eu des passages secrets et des chambres de torture. Elle avait l'intention de faire souffrir. Puis elle a commencé à entendre des voix.

Nous échangeons un baiser devant les autres clients.

Il était une fois une pucelle-chien de garde. Malgré la confusion des genres, elle était bel et bien un mâle et elle montait la garde de la maison de ferme. À chaque bruit suspect, elle aboyait. Elle ne faisait confiance à personne. La pucelle-chien de garde était enchaînée à sa niche. La raison de cet enchaînement était un enfant qu'elle avait mordu sans raison apparente. Ce n'est pas tout le monde qui peut percevoir le mal chez un enfant. La pucelle-chien de garde, elle, avait perçu le mal qui grandissait dans le petit corps.

Il fallait saigner l'enfant. Au lieu de ça, les humains lui ont fait un bandage. La pucelle-chien de garde aimait l'odeur du sang. Lorsque le fermier trouvait un veau fraîchement mort dans les champs, il déposait la carcasse devant la niche et la pucelle-chien de garde le remerciait en lui léchant la main. Souvent, la pucelle-chien de garde entortillait sa chaîne autour de sa niche à force de courir en rond. Le fils du fermier devait alors remédier à la situation. Lui et l'animal pouvaient faire le tour de la niche une douzaine de fois pour démêler la chaîne. L'hiver, pour éviter que l'animal ne meure de froid, le fermier déposait, à l'aide du tracteur, des pelletées de neige sur la niche. Elle se trouvait ainsi isolée. Pour fortifier la santé de la pucelle-chien de garde avant la saison froide, le fermier lui jetait un délivre de vache afin qu'elle profite des nutriments. Chaque fois, la pucelle-chien de garde dévorait le délivre férocement.

VII

Béatrice et moi avons décidé par téléphone d'assister à la foire agricole annuelle de Lachute. Bon, ce n'est pas La Ronde, mais dans mes souvenirs d'enfance, l'Expo agricole n'est pas si mal. De plus, Béatrice adore les animaux de la basse-cour. Elle sera donc servie. Couchée dans la baignoire, je me rappelle mon père. Il se lavait dans deux pouces d'eau tiède : «Les temps sont durs, il faut se serrer la ceinture et ménager l'eau chaude», disait-il constamment. J'aimais le regarder faire sa toilette. J'aimais le voir se raser. Je lui étais d'une aide précieuse, car étant daltonien, il ne pouvait distinguer la couleur de ses chaussettes.

Je passe prendre Béatrice en Jetta. Nous quittons son bastion en laissant un nuage de poussière derrière nous. La foire agricole de Lachute est l'événement de l'année en ville. Il y a sur place un parc d'attractions avec manèges et jeux d'adresse, une exposition de machinerie agricole dernier cri, toutes sortes d'animaux, des percherons aux animaux de la basse-cour et des spectacles musicaux sont offerts en fin de soirée. C'est à la foire agricole de Lachute que j'ai caressé pour la première fois un lapin et que j'ai touché le museau d'un mouton. C'est aussi à cette occasion que j'ai constaté que le fumier de porc est beaucoup plus odorant que le fumier de bovins. J'y vais depuis que je suis haute comme trois pommes.

J'évite une mouffette de justesse. Béatrice observe le tableau de bord et s'occupe de la radio. Après avoir roulé une demi-heure sur la 158, je me gare dans une petite rue, la même où se garait mon père quand j'étais enfant, et nous nous dirigeons à pied vers mon entrée secrète. Cette entrée est située derrière les roulottes des exposants. J'aimais regarder mon père ramper sous la clôture de peine et de misère. Nous économisons douze dollars par cette pratique et cette somme sera réinvestie dans les manèges et les jeux d'adresse.

Nous commençons notre périple par une visite de la bergerie. J'adore les moutons. J'aimerais, un jour, tondre une centaine de moutons en une journée, que dis-je, en une heure. En attendant, je leur offre du foin, qu'ils viennent brouter dans ma main. Béatrice leur donne des noms loufoques comme «Joachim de la Laine» ou encore «Hélène du Tricot». Puis c'est le tour aux ti-lapins de nous endurer. Béatrice les trouve attendrissants. «Mais ils doivent souffrir», ajoute-t-elle. Je lui demande si elle veut manger un hot dog.

– Jouons d'abord à quelques jeux d'adresse.

Béatrice aperçoit le stand de tir à la mitraillette. Elle retombe en enfance. Elle s'exerce en premier. Elle doit découper l'étoile rouge avec son chargeur. Elle y parvient presque. C'est à mon tour de me laisser parler d'amour. Les petits plombs vont obstinément dans la mauvaise direction. J'offre une piètre performance. Béatrice tente le coup à nouveau. Je l'observe, sceptique. Ma foi, elle va l'avoir ! Ça y est, elle l'a eu. Le préposé s'assure qu'il ne reste pas une parcelle de l'étoile rouge et offre à Béatrice le choix entre deux peluches. Béatrice me demande de choisir. Je choisis sans grande conviction celle qui m'apparaît comme étant la moins affreuse, c'est-à-dire le petit chimpanzé.

Après avoir fait quatre manèges, soit la grande roue, les chaises volantes, les autos tamponneuses et le Crocodile, Béatrice propose de casser la croûte. Nous nous mettons à la recherche de ce *snack bar* tenu par un gros bonhomme aux cheveux graisseux et au visage toujours en sueur qui est resté dans ma mémoire toutes ces années. Cet homme de forte corpulence faisait les meilleurs hot dogs de toutes les Laurentides. D'une année à l'autre, son commerce n'était jamais au même endroit, jamais devant le même jeu d'adresse. Enfin, derrière une plaque chauffante, j'aperçois un visage en sueur. Oui, je reconnais son nez aquilin. Il a pris du poids. Nous nous mettons en file. Le commerçant prend les commandes à toute vitesse. Lorsqu'un client hésite trop longtemps, il s'écrie : « Trop long, suivant. » Nous commanderons trois hot dogs tout garnis, avec oignons frits, et une frite. Je suis chargée de passer la commande et Béatrice tient dans sa main droite un billet de dix dollars. Les clients ne savent où donner de la tête.

Arrive notre tour. Je passe la commande en insistant sur les mots « oignons frits ». Le commerçant me répond par un « O.K. » bien senti et lance quelque chose à son cuisinier, quelque chose qui n'est pas du français. Craignant de devoir manger debout, je demande à Béatrice d'aller s'asseoir à la dernière table de libre. À peine cinq minutes plus tard, j'arrive à notre table avec le plateau.

— Tu as commandé une frite de plus ? me demande Béatrice.

— Non, c'est le patron qui nous l'a offerte.

Nous mangeons sous la pleine lune. Désirant profiter au maximum de la soirée, nous nous mettons d'accord pour déambuler sans but précis jusqu'au feu d'artifice. Nous marchons donc en observant nos semblables. Dans ma tête, Béatrice et moi sommes des espionnes au service d'une agence gouvernementale ultra-secrète chargée de démasquer des terroristes qui comptent rayer Lachute de la carte. Dans ma tête, Béatrice et moi sommes des terroristes chargées de rayer Lachute de la carte. Nous nous mêlons à la foule. Puis un garçon reconnaît Béatrice :

– Béatrice?

– Salut, Thomas.

Béatrice est visiblement mal à l'aise. Et Thomas est un bien joli garçon.

– Comment vas-tu? lui demande Thomas.

– Je vais bien.

– Je suis content que tu ailles bien.

Le malaise est gros comme le Titanic.

– Écoute, Thomas, Brigitte et moi, nous nous en allions.

– Ah, je comprends. À la prochaine, alors.

– C'est ça. Je veux dire, bonne fin de soirée, Thomas.

– Je suis heureux de t'avoir revue.

– Moi aussi.

Et après cette conversation, Béatrice n'est plus la même. Elle est fermée comme une huître. Je saute en parachute.

– Béatrice, qui est Thomas?

– Le premier gars avec qui je suis sortie.

– Ça s'est mal fini?

– Thomas m'aimait comme c'était pas possible. Moi aussi, je l'aimais. Mais j'ai commencé à entendre des voix. Les premières choses que j'ai entendues, ç'a été des menaces de mort. Je reconnaissais jamais la voix qui me menaçait. Puis un soir, ça avait la voix de Thomas. Les menaces de mort avaient la voix de Thomas. Et lui, quand je le voyais, il me disait tous les trucs gentils imaginables. Mais moi, j'avais toujours en tête les maudites menaces de mort. Tu comprends, Brigitte ? Je l'ai laissé parce que je serais devenue folle. D'ailleurs, quand je l'ai quitté, les voix ont cessé pendant un bon bout de temps. Et ça n'a jamais eu la voix de Thomas à nouveau. Dieu merci.

Je songe à lui dire : «Je comprends», mais je m'abstiens.

Nous avons attendu le feu d'artifice en silence. Tout le budget de la ville est passé dans la pyrotechnie. Une fois les feux terminés, nous avons senti de la poussière tomber du ciel. J'ai conseillé à Béatrice de fermer la bouche. Et Béatrice a tenu fermement son petit chimpanzé.

VIII

Mort aux raisonnements à portée de la main. Mort aux énigmes dont la solution nécessite de l'intelligence et donc nécessairement des aptitudes sociales. Car celui qui ne maîtrise pas les codes de notre société ne peut pas être compris des autres, et par ce fait même, paraître intelligent. Vive l'écholalie. À mon avis, les répétitions à l'infini ont autant de valeur que vos tables de multiplication. Je souhaite, du fond de mon cœur, que tous ceux qui ont participé à l'élaboration des tests de quotient intellectuel soient morts dans des souffrances dignes de l'Ancien Testament. Les tests de Q.I. ne prouvent qu'une seule chose : votre capacité à répondre à un test de Q.I. Rien de plus. Vous tous, psys en tous genres, portez un masque. Vous lui avez appris le latin et le grec. Vous lui avez appris à construire des pyramides au bas desquelles vous vous prosternez. À bien y penser, la psychiatrie, c'est de la mauvaise poésie.

Aujourd'hui, je dois aller à mon rendez-vous chez le docteur Courtemanche. J'aime bien le docteur Courtemanche. Quand je lui ai dit que la psychiatrie était de la mauvaise poésie, il a éclaté de rire. Le docteur Courtemanche est un chic type. Dans la soixantaine avancée, le vieux toubib de l'âme a tout vu. De plus, il est docteur en piano. Je me souviens des longues discussions sur Schoenberg que j'ai eues avec lui. Ma mère me conduit donc à la clinique psychiatrique externe. Elle roule prudemment, trop. Elle en devient dangereuse. J'aime ça. J'essaie de faire passer les feux de circulation du vert au rouge par la simple force de la pensée. Avec un peu de chance, je provoquerai des accidents.

Pas de bol. Aujourd'hui, jeudi, le stationnement de l'Hôtel-Dieu affiche complet, et comme il n'y a pas de stationnement pour la clinique externe, ma mère n'a d'autre choix que de stationner au *Tim Horton's* du coin et de consommer un café en m'attendant. Je marche donc d'un pas sûr vers l'édifice Primeau. Au rez-de-chaussée, il y a les prises de sang. Personne ne se doute qu'une folle vient d'entrer. Mais les infirmières derrière la vitre au bureau d'inscription des prises de sang savent, en me voyant emprunter les escaliers menant à l'étage, qu'une déséquilibrée vient discuter avec son psy et qu'il ne faut pas la faire chier.

Je monte. Au-dessus de la porte est inscrit : «Clinique psychiatrique externe». Je n'ai pas à avoir honte. Les murs sont verts-pas-de-panique. Je me dirige vers la salle d'attente. La secrétaire tape à la machine. Cette femme est d'une patience infinie. Je l'ai déjà entendue dire par six fois : « Monsieur, votre rendez-vous n'est pas aujourd'hui, mais bien demain. » Dans la salle d'attente sont présents deux jumeaux d'environ cinq ans, une femme dans la quarantaine, un jeune homme et une femme plus âgée. Celle-ci parle doucement aux jumeaux, qui tentent de s'amuser avec de vieux jouets vraiment moches, de vieux tracteurs décolorés et des poupées sans yeux. Elle leur dit qu'ils passeront bientôt. Je m'assois sagement. La secrétaire vient de remarquer ma présence.

– Tu viens pour ton rendez-vous avec le docteur Courtemanche ?

– Exactement.

– Ça ne devrait pas tarder.

Le jeune homme assis à mes côtés semble anxieux. Il se ronge les ongles. La femme dans la quarantaine ne semble guère aller mieux. Les jumeaux sont finalement appelés aux urnes. Ils sourient. La femme qui veille sur eux leur dit : « À tantôt, mes amours ». Arrive un homme dans la cinquantaine. Il semble désorienté. Son sourire laisse entrevoir sa folie. Il tend la main et dit :

– Madame Turcot, veuillez me suivre.

La femme dans la quarantaine se lève et suit le psychiatre que j'ai pris pour un patient. Je suis maintenant seule avec le jeune homme. Il se ronge toujours les ongles.

J'entends une porte qui s'ouvre. Des pas dans le corridor d'à côté. Un homme portant d'épaisses lunettes passe devant moi et salue la secrétaire. D'autres pas retentissent. À leur lenteur, je reconnais mon psychiatre à l'externe. Il porte toujours le même vieux cardigan mousseux. Il est plus qu'évident que le brun est sa couleur préférée. Il me salue de façon enjouée. Le docteur Courtemanche possède une très mauvaise dentition et est dépeigné depuis trente ans. Il a fait sa médecine à McGill et sa psychiatrie à New York. Ce bon vivant fait une demi-heure de tapis roulant chaque matin pour garder la forme. «Brigitte, l'activité physique et la bonne santé mentale sont indissociables», me répète-t-il souvent. Il me demande de le suivre. Il me fait entrer dans son bureau et se dirige vers la petite cafétéria. Un endroit bien tranquille en réalité, silencieux même. Son bureau est infesté de *post-it*. Curieusement, mon psychiatre écrit très bien. Sa calligraphie me rappelle les textes anciens écrits à la plume que l'on voit au cinéma. Je peux déchiffrer ses secrets : *Q.I. 70 - Trouble permanent - Q.I. 80 - Préoccupations religieuses - Dîner avec Andrée.* Des serviettes de table en papier provenant d'une chaîne de restauration rapide dépassent de la corbeille à papier. Mon psychiatre entre et referme la porte de son bureau, café à la main, odeur de moka java sous le nez. Il prend place dans son fauteuil.

– Brigitte, on se retrouve. Comment vas-tu ?

– Pas trop mal.

– Et ton hospitalisation ?

– Ma sixième hospitalisation aura été ma dernière, j'y tiens.

– Tu es retournée chez ta mère ?

– Oui.

– Ça se passe comment ?

– Très bien. J'ai compris qu'elle est ma plus grande alliée. Elle ne veut que mon bien. Elle a saisi que pour être heureuse, je dois m'activer. Je ne dois pas rester dans ma chambre.

– Bien. Et le vide dont tu me parles souvent ? As-tu ressenti qu'il s'emparait de toi depuis ta sortie de l'hôpital ?

– Cela s'est métamorphosé. C'est arrivé trois ou quatre fois. J'étais en train de parler et j'ai perdu le fil de ce que je voulais dire. Une sorte de flash-back de l'idée à venir. Je savais ce dont je parlais, c'est l'idée suivante que je perdais. Comme si je l'avais en tête, puis hop, le vide s'emparait de toute ma pensée.

– Les médicaments peuvent faire ce genre de choses. As-tu pris du poids ?

– Non.

– C'est bien, car les médicaments que tu prends modifient souvent le métabolisme et stimulent l'appétit. Te sens-tu faible ?

– Pas du tout, je déborde d'énergie.

– Quels sont tes projets, à court terme ?

– Je passe une entrevue pour un job, cet après-midi.

– Où ça ?

– À la Ville de Saint-Jérôme. Je veux travailler comme col bleu.

– Bravo. Je te vois très bien évoluer dans un milieu non traditionnel pour une femme. Et à plus long terme ?

– Je ne sais pas trop.

– L'important, c'est de vivre dans le monde. Tu ne dois pas t'enfermer seule avec tes pensées et les ruminer.

– Docteur, j'ai rencontré une poétesse.

– Bien.

– C'est peut-être l'une de vos patientes.

– Oh, le secret professionnel cogne à ma porte. J'ai déjà écrit, tu sais. J'ai participé à de nombreux concours de poésie, plus jeune.

– Vous n'écrivez plus ?

– Non, je n'ai plus le temps. Je recommencerai à écrire à ma retraite.

– Bientôt, donc, vous rédigerez vos mémoires.

– Oui, ça s'appellera *Mémoires Courtemanchiées*.

– C'est un très bon titre, docteur.

– Montre-moi tes mains, s'il te plaît.

– Pourquoi ?

– Je veux vérifier quelque chose.

Je lui présente mes mains, les paumes vers le bas.

– Tu trembles légèrement. C'est un effet des anti-psychotiques. Je vais réajuster ton Kémadrin.

– Mon tremblement ne me dérange pas.

– Je préfère contrer cet effet secondaire maintenant, avant qu'il ne s'aggrave.

– C'est vous le doc.

– Très bien, Brigitte. On se revoit dans un mois. Je crois que tu es sur la bonne voie.

– Je vous souhaite un bon mois, docteur.

– À bientôt.

Je sors du bureau. Je passe devant la salle d'attente. Le jeune homme se gruge toujours les ongles. Je salue la secrétaire, passe la porte et emprunte l'escalier. Les secrétaires du bureau d'admission des prises de sang me regardent.

– La folle rentre chez elle, mesdemoiselles. La folle n'est en rien moins folle qu'avant. Prenez garde.

Et je quitte l'édifice Primeau. Je rejoins ma mère au *Tim Horton's*. Un rendez-vous de dix minutes avec son psychiatre, une fois par mois, voilà qui est une énorme farce. Une fois son café terminé, ma mère me conduit devant le garage municipal de la Ville. Lundi, la secrétaire des ressources humaines m'a téléphoné. Mon entrevue a lieu dans quinze minutes, pas de temps à perdre. Pas le temps d'être conquise par le vide et ma mère ne doit pas rater son rendez-vous chez la coiffeuse. Je passe par l'une des portes de garage grandes ouvertes. Un col bleu me reluque. Ça promet. Je monte à l'étage des bureaux. Une odeur d'huile persiste. Je me présente à la secrétaire. Elle me dit que monsieur Levert m'attend dans son bureau.

— Brigitte, assieds-toi. Je t'en prie, me dit le surintendant.

Je m'assois sur la chaise qu'il me présente de sa main droite.

— Je m'appelle Bertrand. Tu ne ressembles pas beaucoup à ton père, commence-t-il.

Je considérais mon père comme étant un bel homme.

— Vous le connaissiez?

— Bien sûr, ton père et moi sommes allés à l'école ensemble. Sacré bagarreur, ton père. Il est mort beaucoup trop jeune. Écoute, Brigitte. Je veux t'engager sur-le-champ. Je sais que tu en as bavé. Et ta mère m'a confié que tu aimes le travail en plein air. Les gens de Sainte-Scholastique sont de bons travaillants. Tu commences lundi prochain. La Ville te paie tes bottes de travail. Elles doivent avoir la semelle renforcée et le bout en acier. Tu présenteras la facture à ma secrétaire. Bon, passons aux choses sérieuses. L'emploi consiste à tondre tous les espaces verts de la cité. Tu auras le choix entre conduire un tracteur, passer la tondeuse ou débroussailler.

— J'aimerais débroussailler, dis-je.

— Tu verras ça avec ton contremaître, Bernard.

84

Les espaces verts, ça demande une bonne forme physique. Ce n'est pas pousser un crayon. Tu vois ce que je veux dire ?

– Tout à fait.

– Bien, parlons maintenant de ton salaire. Tu recevras douze dollars l'heure. Je ne peux pas te donner plus.

– Cela me convient parfaitement, monsieur Levert.

– D'habitude, j'engage des étudiants pour l'été et ta mère m'a laissé entendre que tu n'es pas aux études.

– Ça pose problème ?

– Ben, disons que ça paraîtrait mieux si tu me promettais de retourner aux études en septembre.

– Je retourne aux études en septembre.

– Bon, une affaire de réglée. Le chiffre de jour commence à huit heures le matin et se termine à seize heures. Le vendredi, la journée se termine à midi. Tu as des questions ?

– Non.

– Alors je te serre la main, Brigitte. Je ne suis pas souvent sur le terrain. Nous ne nous verrons que très rarement. En fait, tu ne me verras que s'il y a un problème et je sais qu'avec toi, je peux dormir tranquille, n'est-ce pas ?

– Vous pouvez dormir tranquille.

– Félicitations, Brigitte. Sais-tu que tu es la première fille que j'engage pour ce genre de boulot ?

– Il y a un début à tout.

– C'est aussi ce que je me dis.

– Merci, monsieur Levert. Je ne vous décevrai pas.

Je quitte le garage municipal. Bruits de moteur et odeur d'huile. Je dois m'acheter des bottines de travail. Je me dirige vers le marchand de chaussures en espérant qu'il en vend. À un feu vert, un aveugle traverse la rue avec l'aide d'une vieille femme. Il porte des verres fumés. La vieille femme me regarde. À la radio d'une voiture immobilisée, j'entends Miles Davis qui réinvente la musique. Je garde en mémoire Miles Davis. Je marche sur le trottoir. Un employé de restaurant transporte des sacs de poubelles et les dépose dans le conteneur. J'entre chez le marchand de chaussures. Toujours Miles Davis en mémoire. Je fais ma demande. On me sourit. J'ai le choix entre trois modèles. Le vendeur me pose une question inattendue :

– C'est pour un emploi à la Ville ?

– Oui, comment le savez-vous ?

– Vous êtes la troisième cette semaine, mais la première fille, je dois dire. Vos prédécesseurs ont tous choisi le même modèle.

Il me montre le modèle en question. Il en vante les mérites. J'en essaie une paire. Je me sens bien. Je me lève et fais quelques pas.

– Et puis ? demande le vendeur moustachu.

– Je les prends.

– Je vous aime, vous, les cols bleus, dit le vendeur moustachu.

Je paie avec ma carte de crédit et il y a un ours grizzly sur la boîte à chaussures.

Je me souviens de ma sixième hospitalisation, ma dernière hospitalisation. Je longeais le corridor du quatrième étage. J'avais décidé d'aller discuter dans la salle commune. Pour m'y rendre, je devais passer devant le poste des infirmières. À ma grande surprise, il était désert. Par simple curiosité, j'avais tourné la poignée de la demi-porte donnant accès au poste et aux trésors qui s'y cachaient : les dossiers des autres patients, les clés de la pharmacie, les boîtes de biscuits destinées aux collations. J'imaginais les ravages que j'aurais pu faire. J'avais tourné la poignée vers la gauche, vers la droite. Malheureusement, le personnel infirmier était prudent. La demi-porte était verrouillée et je n'avais pas le temps de jouer à l'acrobate. J'avais poursuivi ma route et j'avais remarqué que je marchais au ralenti. Sans doute ma nouvelle médication qui ralentissait mes mouvements. La porte de la salle commune était grande ouverte et je captais des conversations en pièces détachées qui en émanaient. Étaient présentes trois personnes : monsieur Valois-le-ventru, Claire-le-cœur-brisé et Robert, l'homme au bandeau. Valois-le-ventru m'a saluée.

– Comme je disais, moi, avec huit mille dollars par année, je vis confortablement. J'habite mon chalet à l'année. Je chauffe au bois durant la saison froide. L'été, je pêche et je congèle mes prises pour l'hiver. L'automne, je tue mon chevreuil. Je mange des cannages. J'ai un poste de radio pour me désennuyer. Je ne suis pas à plaindre.

— Pourquoi êtes-vous ici, alors ? lui avais-je demandé.

— Menaces de mort. Là où j'habite, mon unique voisin me cause beaucoup d'ennuis et dans un moment d'exaspération, j'ai tué son chien avec ma carabine et j'ai ensuite pointé l'arme de haut calibre en direction de mon satané voisin. Si j'avais appuyé sur la détente, il aurait fallu me décorer pour avoir débarrassé l'humanité d'une crapule. Mais comme vous voyez, ils ont cru sa version et je me retrouve ici en évaluation psychiatrique. Mais je n'ai pas à me plaindre. Ici, je suis logé-nourri. J'ai la télé câblée et l'occasion de me faire de nouveaux amis. Mon cher Robert, vas-tu finir par syntoniser une fréquence, pour l'amour de Dieu ?

En effet, Robert, l'homme au bandeau, ne cessait de tourner la roulette de la radio, à la recherche de je ne sais quoi. D'une fréquence fantôme, peut-être ? J'avais cru bon d'interroger Valois-le-ventru.

— Monsieur Valois, êtes-vous marié ?

— Je l'ai été.

— Elle a cessé de vous aimer ?

– Elle couchait avec mon voisin. Je te trouve pas mal effrontée. On ne demande pas ces choses-là.

– Je crois que vous montrez vos muscles pour cacher votre petite ossature. Je crois qu'en fait, vous aimez toujours votre femme. Je crois qu'elle s'est mariée trop jeune et qu'elle a heureusement eu la force de vous quitter. Je crois que vous avez des enfants, mais qu'ils refusent de vous adresser la parole, même par téléphone. Je crois que vous avez pointé l'arme de haut calibre en direction de votre voisin pour ne pas pointer l'arme contre vous.

– Un mot de plus et je te tue.

– Oh non, monsieur Valois-le-ventru, vous ne tuerez personne.

– Arrêtez, vous deux, je n'en peux plus ! avait crié Claire-le-cœur-brisé.

IX

Béatrice passe me prendre à deux heures pile. J'apporte mon sac à dos contenant mon déshabillé sexy que j'ai acheté dans une boutique jérômienne, mes produits d'hygiène et quelques conserves. Béatrice m'embrasse dès qu'elle le peut. Nos salives se complètent bien. Elle habite un appartement à proximité du Carrefour du Nord. Son logement comporte trois pièces. Elle me parle de son logis. Selon son propriétaire, elle habite un demi-sous-sol. Selon Béatrice, son propriétaire aime jouer sur les mots. Plus sous-sol que ça, tu meurs. Béatrice se plaît à dire qu'elle habite au niveau des chats.

Son appartement fait partie d'un immeuble de six logements. Le voisin de palier de mon amoureuse est un homme seul ; un infirmier à la retraite. Lui et Béatrice partagent la galerie arrière. Le retraité a un fils qui habite à Los Angeles. Il n'a plus de contact avec la mère depuis qu'il a décidé de vivre son homosexualité. Son fils lui rend visite une fois par année. Béatrice ne l'a jamais vu en personne, seulement en photographie. Il ressemble à son père.

Au-dessus de mon amoureuse réside une famille turbulente. L'homme travaille dans une usine. Il en revient tout noirci, une boîte à lunch à la main. Sa conjointe ne travaille pas. Elle commère un peu partout dans le quartier. Selon elle, tous les hommes du quartier tentent de la séduire. Si c'est vrai, ces hommes ne sont pas difficiles. Elle marche en se dandinant d'une manière peu subtile et mâche toujours un chewing-gum qui lui remplit la bouche. La première fois qu'elle a rencontré ma chérie, elle lui a expliqué que son père s'était remarié avec une femme beaucoup plus jeune. Elle lui a également expliqué qu'il devait se faire une piqûre dans le pénis pour avoir des relations sexuelles avec sa nouvelle épouse. Béatrice n'en demandait pas tant. Elle lui a confié, à la fin de son monologue, qu'elle détestait la chicane. Après deux mois de voisinage, elle a demandé à mon amoureuse si l'homme à la retraite qui demeurait à côté d'elle était homosexuel. Béatrice a répondu que cela ne la regardait pas, pas plus qu'elle, d'ailleurs. Depuis, elle ne lui a jamais plus adressé la parole. Béatrice n'est pas dans leur camp. Elle n'est dans le camp de personne.

Les murs de l'immeuble sont en carton. Béatrice agit en conséquence. Elle ne fait jamais de bruit passé onze heures. Lorsqu'elle écoute la télévision tard, elle baisse le volume au minimum pour ne pas nuire au sommeil de son voisin de palier. Cependant, elle n'éprouve aucune sympathie pour ses voisins d'en haut. Ces gens ne se soucient de personne. Si le feu ravageait l'immeuble et que les voisins d'en haut étaient prisonniers des flammes, Béatrice n'irait pas les secourir. Elle ne ferait rien pour ces gens-là. Les voisins de palier de cette famille sont deux personnes âgées, un vieux couple. Lui est atteint d'un cancer et souffre d'emphysème pulmonaire. Il se promène dans le stationnement de l'immeuble avec sa bonbonne d'oxygène. Sa femme est son épouse depuis cinquante ans. Ils ont eu cinq enfants qui les visitent régulièrement, sans les petits-enfants pour ne pas fatiguer l'homme malade.

Au dernier étage résident monsieur Bazeau et «Monica». Monsieur Bazeau est l'ami intime du voisin de palier de Béatrice. Tout comme son amoureux, il est à la retraite. Il était directeur d'une école secondaire. Pour arrondir ses fins de mois et aussi par pur plaisir, monsieur Bazeau donne des leçons de danse country. Lorsqu'il a appris que Béatrice aimait écrire, il lui a fait cadeau de sa machine à écrire, une Olivetti. Il a expliqué à Béatrice que cette machine est de qualité. Il s'en départait pour une raison technique. L'Olivetti n'offre pas les caractères gras, indispensables à monsieur Bazeau dans la rédaction de ses leçons de danse.

Ma tendre moitié l'a remercié chaleureusement et a déposé la machine sur le bureau de sa chambre.

La voisine de palier de monsieur Bazeau est une femme que Béatrice connaît sous le nom de Monica. Par trois fois, Béatrice, qui accompagnait un ami, l'a vue danser au *Saint-Pierre*. L'annonceur encourageait les clients à encourager Monica. «Monica» a une petite fille de neuf ans qu'elle laisse seule durant des jours. Parfois, la fillette descend du deuxième avec une boîte de Chef Boyardee et demande à Béatrice si elle veut bien lui ouvrir sa boîte. «Je trouve pas l'ouvre-boîte», dit-elle. Béatrice accepte volontiers et refuse d'avertir les services sociaux. Cela ne la concerne pas. Mais ma copine se demande bien pourquoi la fillette le lui demande à elle et seulement elle. Sans doute sait-elle qu'elle ne dénoncera pas sa mère. Elle lui fait confiance sur ce point. J'éprouve de la sympathie pour cette fillette. Elle en arrache plus que moi. Béatrice est bien au fait que les locataires la trouvent étrange. Elle ne quitte jamais pour le travail, ni le matin ni le soir. Il y a de la lumière chez elle jusque tard dans la nuit, très tard. Elle ne fréquente personne. Elle ne reçoit jamais de visite. Cela n'a aucune importance à ses yeux.

— Plus j'essaie de cacher ce qui ne tourne pas rond avec moi, pire c'est. Lorsqu'ils sont trop nombreux, les lemmings se précipitent en bas de la falaise. Dans ma tête, il y a trop de Béatrice. Aucune d'entre elles n'arrive à quoi que ce soit.

Je parviens à la convaincre du contraire et je lui chuchote que je veux faire l'amour avec elle. Avant le souper. Elle aussi en a envie. Je me retire donc dans la salle de bains pour enfiler mon déshabillé noir en dentelle. Je sors de la salle de bains. Béatrice me regarde. Elle est allongée sur son lit, complètement nue. Elle me complimente. Je m'allonge à ses côtés. Nous nous embrassons. Elle me touche et je la touche. Je l'invite à utiliser sa langue.

Me donner un orgasme lui procure une grande fierté, surtout que je n'ai pas fait semblant.

Le souper est simple et efficace : casserole de saumon et d'asperges. Béatrice m'embrasse souvent, comme pour combler un vide. Chaque fois qu'elle s'avance pour me donner un baiser, je m'approche et lui donne ce qu'elle demande. Puis nous nous endormons en cuillère.

Je me réveille à onze heures et demie. Les draps sont défaits. J'entends le chant de la douche. Je me lève. J'allume la télévision et syntonise une chaîne de vidéo-clips. Je tombe sur *Personal Jesus* du groupe Depeche Mode. Devant le téléviseur, je tape du pied de manière robotique. Je suis le rythme avec frénésie. Je monte le volume d'un cran. Béatrice sort de la douche. Elle s'est déjà habillée. Elle porte des vêtements que je n'ai jamais vus. Elle se brosse les dents.

– Tes vêtements te vont bien. Allons manger au Bleu Bleu, dis-je.

— D'accord, me répond Béatrice, la bouche pleine de dentifrice.

Elle se rince la bouche, se gargarise avec le rince-bouche ultra-puissant et s'essuie avec la serviette de bain.

Je saute dans mes vêtements. Je ne me lave pas. Ensemble, nous quittons l'appartement. Nous nous rendrons au Bleu Bleu à pied. Nous marchons au même rythme, battons la même cadence. Je sors mon briquet de ma poche et lui donne un baiser. Béatrice trouve la scène mystérieuse. Je le sens. Je remets le briquet dans ma poche.

Sous le soleil de midi, par cette journée chaude du mois de juin, Béatrice et Brigitte descendent la rue en direction du centre-ville. Elles passent devant le centre de conditionnement physique, le club Adonis. Des hommes musclés soulèvent des haltères et des femmes joggent sur des tapis roulants. Un peu plus loin, elles croisent le lave-auto dont Béatrice est elle-même cliente. De jeunes employés lavent les voitures à la main. Une Volkswagen fait la file. Les ouvriers sourient en travaillant pendant que les clients attendent leur voiture dans une petite salle où règnent l'ennui et les vieux journaux à potins. Béatrice et Brigitte sont témoins de ces scènes grâce à la fenestration abondante du lave-auto. Elles gardent le silence et la cadence. Brigitte regarde souvent vers le ciel en marchant. Une cinquantaine de pas plus loin, elle remarque un jeu de marelle dessiné sur le trottoir. Les différentes lignes ont été tracées à l'aide d'une craie de couleur bleue et les chiffres sont de couleurs différentes. De l'autre côté de la rue, un vieil homme dort dans sa berçante, sur son balcon. Béatrice se sent bien avec Brigitte. Les tourterelles empruntent la piste cyclable de la ville et traversent deux intersections, avec de nombreux cyclistes. Le Bleu Bleu est situé juste après la deuxième intersection. La terrasse donne sur la piste cyclable, ce qui la rend fort populaire auprès des cyclistes.

– Veux-tu manger à l'extérieur ou à l'intérieur? me demande Béatrice.

– Je préfère manger à l'intérieur, je lui réponds.

– Moi aussi. Allons à l'intérieur.

Nous nous installons toutefois près d'une fenêtre, à une petite table pour deux. Nous sommes les seules clientes de la salle à manger intérieure. Tout le monde profite de la terrasse. Une jeune serveuse nous apporte le menu. Béatrice, qui adore feuilleter les menus, prend la peine de lire chaque page. Bien qu'elle connaisse assez bien le menu du Bleu Bleu, le relire est à chaque fois un pur plaisir. Elle visualise chaque assiette. Grâce à sa mémoire photographique, elle revoit la salade de thon avec ses croûtons et sa julienne de carottes en pyramide. Elle imagine le sandwich au chèvre, aux artichauts et aux tomates séchées. Pensant jusqu'alors prendre son habituel bagel au saumon fumé, Béatrice opte pour du nouveau.

Elle choisit le sandwich à la viande fumée et au fromage suisse. J'obtiens ces infos juste en la regardant.

– Qu'est-ce qui te tente ? me demande Béatrice.

– La pizza Faim de loup, je lui réponds.

Puis, dans un éclair, je referme le menu, fouille dans ma poche et sors mon briquet. Je le place entre la salière et la poivrière.

– Tu tiens beaucoup à ce briquet. Quelqu'un te l'a offert ? me demande doucement Béatrice, sachant qu'elle s'aventure dans mon intimité.

– Un homme-loup me l'a offert. C'est mon bien le plus précieux.

– Je n'ai jamais vu de loup, en vrai.

– Moi non plus.

La serveuse s'approche pour prendre nos commandes. Béatrice me laisse commander en premier. Elle regarde mes lèvres remuer et la serveuse repart avec les menus.

Ran Ran Ran
Je suis la bête du Gévaudan
Jouant au chat et à la souris
Avec le cœur de mon ennemi
Sans répit, sans l'ombre d'un répit

Un, deux, trois
Au coup de sifflet, il n'y a plus de moi
Suis-je le diable ? Un revenant ?
Non, mais Béatrice marche droit devant
Ran Ran Ran

———

La serveuse dépose la pizza Faim de loup devant Béatrice et le sandwich Le Smoked Meat devant Brigitte des Colères.

Les deux heures qui suivent sont des plus agréables. Nous dégustons nos repas dans la tranquillité. Nous faisons une promenade sur la piste cyclable, puis une halte dans le parc. Béatrice songe à me prendre la main mais se retient. Elle craint ma réaction. Je lui prends la main.

– Que veux-tu manger, ce soir ? je lui demande.

– Je ne sais pas.

– Je pourrais aller acheter un petit poulet barbecue.

– C'est une bonne idée. Mais j'aimerais faire une sieste avant le souper. Est-ce que cela te dérange ?

– Pas du tout.

Aujourd'hui, les petits poulets barbecue sont en spécial aux Étals.

X

Premier jour comme employée municipale. J'ai pris une douche hier avant de me coucher, je gagne ainsi vingt minutes. Je me fais cuire un bagel avec du bacon. Je bois 25 onces de jus d'orange. Je mets la facture du marchand de chaussures dans ma poche pour mon remboursement par l'employeur. Je chausse mes bottines de travailleuse. Je pense à m'emmener un thermos d'eau froide (c'est mon expérience de la campagne qui parle). Je descends la rue Lajeunesse pendant dix minutes. Je me blesse la langue avec un bonbon au beurre : je me croyais à l'abri et tout à coup, la source de plaisir devient agressive. J'énumère les décimales du nombre pi, dans l'ordre, pour exorciser l'impalpable. Certains se cachent derrière des chiffres.

Je traverse le stationnement de la confrérie des Aigles et j'arrive dans le stationnement du garage municipal. Certains cols bleus ont des voitures sport qui valent cher. D'autres roulent en minoune. Plusieurs conduisent des camionnettes. La porte du garage municipal est munie d'un code d'accès. Je ne le connais pas. J'attends qu'un employé vienne ouvrir la porte. Un homme dans la cinquantaine arrive. Il porte des lunettes fumées et une casquette de chauffeur de train:

— Ils ne t'ont pas donné le code? me demande-t-il.

— Malheureusement non.

— C'est ta première journée?

— Oui.

— Ça commence plutôt mal. Le code est 1562, dit l'homme en le tapant sur le petit clavier.

— Merci.

Je me dirige vers le secrétariat. Je monte un escalier. L'odeur d'huile plane, même dans les bureaux. Une secrétaire commence sa journée avec un café. Je sors la facture de ma poche.

— Je viens pour le remboursement de mes bottes de travail, dis-je, d'un ton ferme.

— Très bien.

Elle me demande mon nom, dépose son café, s'assoit et fouille dans ses dossiers non informatisés pendant quelques secondes.

— Oui, Brigitte. Donne-moi la facture. Voici ta carte pour le poinçonnage, avec ton matricule.

— Très bien. Merci.

Mon matricule est 101977. Je tente de comprendre pourquoi j'ai le 101977. Pas le moindre indice. J'entre dans la salle des employés du garage municipal. Des hommes discutent et boivent du café.

Derrière un comptoir, un homme dans la soixantaine prépare des sandwichs au fromage grillés sur une petite plaque chauffante portative. Des hommes boivent leur café et sacrent. Au fond de la salle, il y a des casiers. Certains employés se changent. Odeur de sueur. Je m'assois sur un banc. Certains employés ne parlent à personne. Je fais partie de ceux-là.

– L'autre soir, j'étais assis sur ma galerie avec ma bière, pis j'ai entendu des gémissements. Je suis allé chercher mon .12 et j'ai arpenté mon terrain. Il faisait noir et une lampe de poche aurait donné ma position. Arrivé derrière mon garage, j'ai surpris deux jeunes qui se tripotaient solide. Vous auriez dû voir la face du petit fringuant quand je lui ai crissé mon .12 sur la nuque. Le petit crisse a appelé la police. Ben tabarnac, la police a failli m'embarquer. Ç'a l'air que je n'avais pas le droit de pointer une arme à feu sur ce petit morveux. Je n'en revenais pas. J'étais chez nous, après tout, dit un employé dans la cinquantaine portant une longue barbe.

Je cherche les employés qui ont les mêmes bottines que moi. Ne trouve pas. 7 h 55 : les hommes se mettent en file devant le poinçonneur. 8 h sonne : les hommes sortent leur carte du classeur et poinçonnent. Plusieurs employés ont un espace individuel où figure leur numéro de matricule. Ils y déposent leur carte. Je poinçonne et dépose ma carte dans un espace vide, sans numéro de matricule correspondant.

– S'il vous plaît, un peu de silence. Les employés affectés aux espaces verts, suivez-moi. Let's gros, les gras, dit un homme dans la quarantaine portant des lunettes.

Je reconnais Antoine, celui-qui-sera-toujours-amoureux-de-moi. Il me regarde longuement avant de me saluer. Il me sourit. Je lui rends son sourire. Huit hommes, dont Antoine, et une femme suivent à la queue leu leu l'homme dans la quarantaine portant des lunettes. Nous passons une porte et pénétrons dans l'entrepôt réservé aux espaces verts : tondeuses, débroussailleuses, bidons d'essence, harnais, etc. Notre contremaître se prénomme Bernard. Pendant que Bernard nous explique en quoi consiste notre boulot, Antoine déplace son fou et m'aborde :

– Salut, Brigitte, comment vas-tu ? me demande-t-il, à voix basse.

– Je vais bien. Toi ?

– Pas si mal. J'aurais dû me douter que tu envisagerais de travailler pour la Ville. Tu as toujours aimé les défis.

– Pardonne-moi, je ne t'ai pas donné de nouvelles. J'avais besoin de rompre les liens.

– Tu n'as pas à me demander pardon, Brigitte. J'ai longtemps essayé de comprendre pourquoi tu as fait ce que tu as fait. Je n'ai jamais vraiment saisi. Tu es une fille plutôt compliquée.

Je me propose pour l'un des quatre postes de débroussailleur. Je suis jumelée avec un homme d'expérience. Je devrai apprendre rapidement, mais tout d'abord, je dois passer au magasin pour prendre un casque muni d'une visière et des gants. À mon retour, mon collègue d'expérience et moi préparons notre barda : deux débroussailleuses, deux harnais, un bidon d'essence mélangée et deux râteaux. Nous plaçons l'équipement dans la boîte de la camionnette. Mon compagnon échange quelques mots en privé avec notre contremaître. Il revient. Il tient absolument à conduire. J'acquiesce à sa demande. Il m'explique que nous devons, cet avant-midi, débroussailler trois aménagements de boîtes postales de la cité. Je lui demande son nom. Il s'appelle William.

Le quinquagénaire au ventre bien plat conduit lentement. Il prend de nombreux détours. Il veut soit gagner du temps soit en perdre. Je ne sais pas trop. Puis nous arrivons dans un secteur résidentiel. J'aperçois un aménagement de boîtes postales. Mon mentor gare la camionnette en bordure de la rue. Il met son casque et descend de la camionnette. Je crois que je l'imite à merveille. Celui qui connaît la chanson m'aide à enfiler mon harnais. Il m'explique comment mettre de l'essence dans le petit réservoir de ma débroussailleuse. William est patient. Je tente de faire démarrer ma machine. Je n'y parviens pas.

– Tu dois tirer sur la corde avec plus de force, me dit-il.

Je tire sur la corde avec plus de force mais n'y parviens toujours pas.

– Un bon coup sec, comme ça, me dit mon partenaire moustachu en actionnant sa débroussailleuse.

Son moteur est bruyant. Puis je me souviens de la tronçonneuse de mon père. Elle démarrait selon le même principe : un petit coup sec. Je me concentre et je m'exécute pour la troisième fois.

Cette fois c'est la bonne. Ma machine est encore plus bruyante que celle de William. Une fumée bleuâtre sort du petit tuyau d'échappement.

– Donne du gaz, me conseille William-Harley-Davidson.

Je donne du gaz et la fumée bleuâtre est de l'histoire ancienne. J'abaisse ma visière. Mon professeur me fait signe de le suivre.

– L'idée consiste à faire des demi-lunes avec ta machine. Tu passes partout où les tondeuses ne peuvent pas passer, les recoins, les bordures des boîtes postales, les brins d'herbe qui dépassent du béton et de l'asphalte, partout, m'explique William-Maître-Débroussailleur. Vas-y, je te regarde.

– Autrement dit, je fais la finition en premier.

– Tu as tout compris. L'inverse serait préférable. Je veux dire que les tondeuses devraient d'abord passer et ensuite à nous de couper tout ce qu'elles n'auraient pas pu tondre. Mais ce n'est pas moi qui décide des itinéraires. Bon, assez parlé, montre-moi comment tu te débrouilles.

Je fais des demi-lunes. Je longe les bordures des boîtes postales.

– Stop, fait William. Ton fouet n'est pas assez long. Tu peux contrôler sa longueur en donnant un coup sur le sol. Ça actionne la bobine et te permet d'obtenir un fouet plus long. Mais inutile d'avoir un fouet de plus de dix centimètres, c'est dangereux pour rien. Vas-y, donne un coup.

Je m'exécute. J'entends un sifflement et je constate qu'effectivement mon fouet est un peu plus long.

– Très bien, continue maintenant, me dit le permanent à l'ancienneté redoutable.

Je crois que je suis efficace.

– Très bien, approuve William.

Il éteint sa machine. Elle ne lui a été d'aucune utilité. William-le-profiteur et moi replaçons l'équipement à l'arrière de la camionnette. Nous enlevons notre casque jaune muni d'une visière, prenons place à l'avant de la camionnette et enchaînons avec la prochaine étape.

– Veux-tu que je conduise ?

– Non, non. J'aime conduire.

William-le-pas-pressé emprunte toutes les rues à sa disposition. Je commence à comprendre.

Nous travaillons lentement, très lentement. Nous revenons au garage pour le dîner, car William va dîner chez lui. Il me laisse donc devant le garage et saute dans sa camionnette. Ce midi, l'époux modèle mangera le pâté chinois de son épouse, et peut-être recevra-t-il une petite gâterie.

À la fin de la journée, Bernard remet à chacun des employés une carte où figurent tous les espaces verts de la ville. Nous devons l'apprendre par cœur.

Je me souviens de ma sixième hospitalisation, ma dernière hospitalisation. Après le déjeuner, j'avais décidé de faire une halte au salon du bloc UTP en souvenir du bon vieux temps. Bloc UTP, tu m'avais recueillie, tu m'avais admise en psy. UTP, trois lettres mystérieuses. Je garderai leur signification dans mes dossiers top secrets. Au salon du bloc UTP, rien n'avait changé : quelques fauteuils aux tissus différents, une table sur laquelle reposait un énorme puzzle, un vieux téléviseur couleur encastré dans un meuble en bois, des jeux de société et des boîtes de casse-tête d'au moins 3000 pièces empilées dans un coin. Un homme était là, assis dans le plus gros fauteuil. Je m'étais assise le plus loin possible de lui. Contre toute attente, il m'avait saluée d'un signe de tête discret. J'en avais fait autant. Ensemble, nous avions visionné un épisode de Bugs Bunny. Puis une femme en robe de chambre était venue s'asseoir à la table afin de poursuivre le casse-tête.

– Ici, les casse-tête sont des projets collectifs à long terme, avait dit la femme.

J'avais souri. L'homme s'était levé et avait syntonisé un autre canal à l'aide de la roulette située sur le téléviseur. Gros plan sur un visage féminin dans un soap américain. L'homme s'était agenouillé et avait embrassé l'écran cathodique. La statique lui avait alors donné un choc sur les lèvres. Il avait reculé brusquement et s'était mis à rire. J'avais ri moi aussi et j'avais remarqué que le salon était sous surveillance. Un hublot permettait au personnel infirmier d'observer les patients de leur poste. Cette constatation avait créé en moi une colère. J'avais décidé de regagner le quatrième étage.

XI

Mes chers correspondants de guerre, j'ai mémorisé la plupart des espaces verts de la ville. Gestes répétitifs de mon index. J'ai compris pourquoi William tenait tant à conduire. Le conducteur reçoit trente-cinq sous de plus l'heure que le passager. J'ai remarqué la présence de trois femmes dans le garage municipal. Ce ne sont pas des secrétaires. Elles travaillent sur le terrain. Elles portent des bottines de travail et un casque jaune. L'une d'entre elles ressemble à un homme. La lèvre supérieure fendue. Une autre est très belle.

Aujourd'hui, Antoine demande au contremaître s'il peut me prendre comme coéquipière. Bernard accepte. Je laisse conduire Antoine. Tout en conduisant, Antoine me parle de lui : il est un tombeur. Il fait souffrir les filles. Il fume de la marijuana. Il a pris la relève de la ferme familiale. Son père a fait un infarctus. Il fait la traite du matin avant de venir bosser à la ville. Son père, toujours aux rênes de l'entreprise familiale, lui a permis de devenir col bleu le temps d'un été. L'emploi de col bleu, ce sont des vacances payées.

Antoine et moi sommes très efficaces. Ce midi, nous dînons dans le parc Melançon, à l'ombre d'un chêne. Nous échangeons nos sandwichs pour faire changement. Il me parle d'avenir et de mariage avec une femme qu'il aimera. Au dessert, un groupe d'enfants accompagné d'une monitrice entrent dans le parc afin de profiter de la piscine municipale. Leur arrivée stimule la fibre paternelle d'Antoine et il se met à me parler d'enfants et de progéniture. Quand il le veut, Antoine peut vivre dans un monde de papillons et d'arcs-en-ciel. Nous terminons nos boissons gazeuses au son des cris de joie et des pleurs des gamins, le tout ponctué de coups de sifflet de la monitrice encore adolescente. Côté boulot, Antoine est très productif. Rien ne l'arrête, sauf les crottes de chien ramollies par la chaleur, laissées au pied des arbres dans les parcs. Avec des «si», nous pourrions nous évader. Nous, les espions de nos propres pensées. Défaites chroniques, atomiques.

Je débroussaille la promenade longeant la rivière. Je trouve une bouteille de vodka vide, des condoms, des seringues, une chemise, des jouets, des lunettes et une rame. Bernard nous appelle sur le talkie-walkie. Nombreux parasites. Il nous demande de nous rendre au fond de la rue Luc. Des citoyens se plaignent de mauvaises odeurs. Nous nous rendons sur place. Effectivement, ça sent la putréfaction à plein nez. La rue Luc est un cul-de-sac qui donne sur un boisé. Antoine et moi entamons notre enquête parmi les feuillus.

– Sûrement un animal mort, me dit Antoine.

Je lui réponds :

– Je l'espère.

Tout au long de notre investigation, une jeune fille d'environ treize ans nous observe, du haut d'un balcon, en ricanant. Cela me flanque la trouille. Puis Antoine s'écrie :

– J'ai trouvé !

Je m'approche. Il s'agit d'un raton laveur en décomposition. Le ventre de la bête est très enflé. Il y règne une intense activité. Sans raison apparente, Antoine décide de sauter à pieds joints sur le ventre du cadavre. Ce qui s'ensuit est répugnant et très nauséabond. Je lui demande pourquoi il a fait cela. Il ne me répond pas et retourne à la camionnette pour vomir. Antoine a encore beaucoup à apprendre de la vie. Je lui demande de ramener la pelle et un sac à vidanges.

En après-midi, nous recevons un deuxième appel de Bernard sur le talkie-walkie. Nous devons venir en renfort dans un parc où a eu lieu la veille une grande fête. Quand nous arrivons sur les lieux, on nous met entre les mains un pic à ordures et un sac à vidanges.

Nous devons ramasser toutes les cochonneries qui traînent. Nous sommes une dizaine sur le coup. Antoine siffle le thème de *Star Trek* tout en travaillant. Je me sens bien.

De retour au garage, je suis témoin d'une scène dégoûtante. Dans un coin sombre, en retrait, un col bleu tente d'embrasser celle qui fait tourner toutes les têtes. Elle lui résiste. Il la pousse contre une souffleuse. Il essaie à nouveau de lui rouler une pelle, mais cette fois, il lui prend une fesse. Elle crie :

– Arrête !

Je suis hors de moi. Ce grossier personnage mérite une correction. J'empoigne une pelle et lui assène un coup au visage. Le col bleu tombe par terre. Je l'ai assommé. La belle me hurle après :

– Mais pourquoi t'as fait ça ?

Je comprends alors qu'elle est en amour avec celui qui gît sur le sol. Brigitte des Colères ne s'est pas mêlée de ses affaires. L'homme revient à lui. De mon plein gré, j'accepte de me rapporter au surintendant. Monsieur Levert est déçu.

Je me souviens de ma sixième hospitalisation, ma dernière hospitalisation. Une forte odeur de sueur était parmi nous, comme une force occulte. Nous étions arrivés au rez-de-chaussée. Les portes de l'ascenseur s'étaient ouvertes et j'étais tombée sur Évelyne, une ancienne camarade de classe.

– Salut, Brigitte, tu travailles ici ? m'avait-elle demandé, pimpante. Puis elle avait remarqué ma tenue vestimentaire et mes pantoufles.

– Brigitte, tu es hospitalisée en psychiatrie ?

Inutile de répondre, mes pantoufles et ma robe de chambre l'avaient fait pour moi. Évelyne commençait un stage en psychiatrie. Elle m'avait encouragée avec des mots qui sonnent faux. Elle était là pour apprendre.

XII

Il était une fois une pucelle-hirondelle. Elle arriva à Sainte-Scholastique. Elle était tombée du nid originel de Lachute et avait roulé son bec jusqu'au petit village. Elle cogna à la cabane d'une petite famille qui habitait au sommet d'un poteau de bois sur lequel était fixée une corde à linge. La famille accepta de l'héberger à condition qu'elle défende le logis des chats du voisinage. Elle signa le contrat. Chaque fois qu'un chat tentait d'atteindre la cabane en grimpant sur le poteau, la pucelle-hirondelle utilisait ses ailes et son bec pour le faire tomber. Et l'envahisseur faisait chaque fois une vilaine chute. La petite famille adopta la pucelle-hirondelle et celle-ci sentit s'approcher le bonheur.

J'ai perdu mon emploi à la Ville et Antoine a donné sa démission car son père est trop faible pour faire les foins. C'est ce qu'il m'a dit, en tout cas, avant de me demander mon numéro de téléphone. Il veut que j'aille le visiter à Sainte-Scholastique. Aujourd'hui, je marche sur le trottoir, dans la mince foule anonyme, en chantant du Alain Bashung. Les refrains sont parfois des vols de nuit. Je croise un parc. À l'entrée de ce parc, il y a une pancarte : «Souriez, vous êtes filmés ! » Je me passerais du point d'exclamation. Vision étrange, un chien fouille dans ses excréments, à la recherche d'une chaîne trop serrée. Les épaules carrées de l'instinct. Si j'avais un magnétophone, je capterais le grondement du dehors. Je capterais le miaulement des chats forniquant dans les ruelles, les cris d'oiseaux et tous les bruits produits lors d'un accident de la route.

Je m'installe seule à une table du Bleu Bleu. Je prends plaisir à observer le monde. Les tatouages : une tapisserie corporelle. Une femme assise en face de moi fronce les sourcils. Devant la terrasse, il y a une piste cyclable. Mes chers aviateurs, pédaler lentement ne veut pas nécessairement dire ne pas rouler vite. Tout est une question de vitesses. De l'autre côté de la piste cyclable, il y a des drapeaux.

Je commande un café, malgré la chaleur. Une femme demande à une jeune serveuse un verre d'eau pour son chien. Elle spécifie «verre en plastique». Aujourd'hui, le vent est chaud et capricieux. Sur une terrasse, retenir son verre de limonade juste à temps lors d'une bourrasque. La serveuse prépare de la limonade pour un inconnu, parce que le soleil est un trou profond dont l'issue est enflammée. Peut-être simplement parce que c'est son travail. J'entrevois un bout de peau, comme relire un livre que l'on a jadis adoré. Une femme s'assoit à la table d'à côté. Ses cheveux sont encore mouillés. Je songe à Béatrice. Nos vies sont constituées de bribes provenant de tout ce qui nous entoure mêlées à des bribes de ce que nous sommes, ou cherchons à être.

À Saint-Jérôme, le long du boulevard des Laurentides, la restauration rapide vous saute au visage, comme une louve affamée. Cet après-midi, j'opte pour ce type de repas. Je me rends à pied au centre névralgique du *fast food* jérômien. J'hésite entre le Poulet Frit Kentucky, Harvey's et La Belle Province. J'entre dans La Belle Province. Je fais la file. Bien que l'heure du lunch soit terminée, plusieurs personnes attendent d'être servies, ce qui, selon Brigitte, est signe que le resto sert de bons burgers. Plusieurs clients attablés me fixent d'un air interrogateur. Et Brigitte descend la fermeture éclair de la poche de sa veste. Elle fouille, sort un briquet de la Kiss Army, quelques billets de cinq dollars avec de la monnaie et remet le briquet à sa place. Brigitte commande un trio. Le commis dépose ma commande sur un plateau. Je laisse Brigitte choisir une place. Elle me désigne une table en retrait. Je traverse le restaurant et je remarque au passage la présence des clients de la résidence au-dessus de chez nous, tous attablés à la même table. Julie, une femme dans la quarantaine souffrant d'obésité, veille sur eux.

Je m'assois et le bruit du papier d'emballage qui se froisse se fait entendre. Je suis affamée et je déteste salir la table sur laquelle je mange. J'alterne entre une bouchée de hamburger et quelques frites. Près de nous, deux personnes âgées, un homme et une femme, discutent en buvant leur café et deux adolescents, sans doute amoureux, partagent un panier de frites en s'échangeant de petits sourires. Un homme en veston-cravate termine sa boisson gazeuse en faisant du bruit avec sa paille. On peut entendre une musak en sourdine. Tout en dévorant son hamburger, je jette un regard furtif à intervalles réguliers en direction des clients de la résidence. Et ce n'est pas de la pure curiosité.

La file d'attente semble éternelle. Dès qu'un client part avec son plateau, un autre entre dans le restaurant. Puis un homme en cagoule fait irruption dans le commerce. Il porte un imperméable noir et pointe une arme à feu en direction du comptoir de service.

– C'est un hold-up ! Tout le monde par terre, dit l'homme cagoulé en pointant son arme en direction du personnel.

Il a un sac en jute dans sa main gauche.

– Vous aussi ! ajoute-t-il en pointant son arme vers les clients.

Je me couche par terre, comme les autres personnes autour de moi.

– Toi, debout, donne-moi l'argent des caisses et

mets-le dans le sac, ordonne-t-il en pointant son arme sur une jeune employée terrifiée.

Elle se relève et obéit.

– J'ai dit tout le monde par terre, répète l'homme en pointant son arme sur les déficients qui poursuivent leur repas.

Je reconnais la voix du voleur. Il s'agit de Simon Proulx, un ancien de l'Externat Jérômien. Je souhaite toujours lui arracher les couilles avec mes dents et les envoyer à ses parents par courrier recommandé.

– Ils ne t'écouteront pas. Ce sont des déficients mentaux. Ils ne savent pas ce qu'est un hold-up, dis-je en bravant Simon.

– Toi, dis-leur de se coucher par terre, ordonne le cambrioleur à Julie, terrorisée.

– Ça ne fonctionne pas comme ça, lui fais-je remarquer avec sang-froid.

– Brigitte, c'est toi ?

– Ben oui, c'est moi.

– J'ai une arme à feu, Brigitte.

– Simon, je gage ma vie qu'elle n'est pas chargée.

– Câlisse, Brigitte.

Un jeune homme aux traits mongoloïdes se met à rire. Un autre échappe son verre de boisson gazeuse.

– Tabarnac ! Il fallait que je tombe sur une bande de débiles et une crisse de folle. Allez, donne-moi l'argent que je foute le camp, s'énerve le cambrioleur, exaspéré.

La préposée, tremblante, lui remet le sac contenant les recettes, et le cambrioleur déguerpit en voiture. Personne n'ose se relever. Les minutes passent. Je suis la première à me rasseoir. Effet domino. Julie vient me remercier pour ce que je viens d'accomplir. Elle parle d'un acte de bravoure. Je lui réponds que le cambrioleur n'était pas de taille et que je connais cet imbécile de Simon Proulx depuis le secondaire. Puis un commis annonce que le restaurant sera temporairement fermé pour cause évidente et remercie tout le monde d'être resté calme durant le hold-up. Je termine mes frites en vitesse. Mes chers élèves-officiers, aujourd'hui, des personnes atteintes de déficience intellectuelle importante ont donné du fil à retordre à un voleur.

Je me souviens de ma sixième hospitalisation, ma dernière hospitalisation. J'avais croisé monsieur Poupart, qui passait ses journées à faire des équations mathématiques dont le résultat était toujours le même : 0,17. Je m'étais dirigée vers ma chambre. En passant devant la deuxième salle de bains de l'étage, j'avais entendu Francine qui criait : « Maman ». Elle était en train de prendre un bain. Elle avait horreur de l'eau et souffrait d'un retard mental. Le préposé chargé de lui donner son bain s'était impatienté et lui avait balancé :

– Elle est morte, ta mère.

On ne devrait jamais rappeler à quelqu'un que sa mère est morte.

XIII

É pouser une femme de théâtre, un acte courageux. Les femmes de théâtre ont toujours beaucoup de questions à poser. Et elles attendent des réponses intéressantes. Puis arrive le moment où elles vous parlent de psychologie. Parfois, elles se mettent même à chanter.

Toi, Béatrice, tu n'aimes pas le théâtre. Tu m'as dit que je t'avais séduite avec mon intelligence. Être séduite par l'intelligence, voilà une phrase qui me laisse perplexe. L'intelligence est une bête monstrueuse et repoussante. Il faut aimer avoir peur pour être séduite par l'intelligence. Et cet équilibre que tu romps à chaque seconde, comme un éclair dont le cri est en retard sur ta vie. Et ta mauvaise posture, comme une prière à l'intention de la vieillesse. Tu regardes par la fenêtre. C'est pendant la nuit que survient le hasard car durant le jour, tout est calculé. Et l'autre nuit, au cimetière, c'était comme si les pierres tombales chantaient une mélodie en mineur pour détourner mon attention de toi. Comme si quelque chose se cachait sous l'herbe. Je suis quand même parvenue à t'embrasser.

Tu demandes ma main pour danser dans ta chambre. Trouver les bons mots pour dire: «Je t'aime», voilà une quête impossible car la vérité est indicible. Trois mots approximatifs. Avec tes yeux, il n'y a pas de mais. Et le désespoir sous tes ongles. Nous alternons entre faire l'amour et discuter. Je regarde ton sexe. Je ressemble à un enfant qui découvre un long couloir, de nouveaux jeux. Ça grogne, ça mord. L'enfant doit fermer les yeux. Un croisement entre une paire de timbales et une plume d'oie. Je te déstabilise en te racontant mon enfance. Mais cette nuit, nous ne voulons rien obtenir. Nous voulons conserver ce moment à jamais. Ton enfance et la mienne se neutralisent et ne peuvent plus nous faire de mal. Aux aurores, tu te prends une pointe de la pizza que nous avons commandée au souper. Elle a traîné sur le comptoir toute la nuit. Tu t'en fous. Tu me réponds, après ma mise en garde: «Je n'ai pas l'intention de vivre vieille». L'autodestruction utilise nos corps pour matérialiser ses désirs. Et la fulgurance de nos regards durant l'orgasme. L'amour est une maladie dont le principal symptôme est la solitude. Et la mauvaise dentition de nos baisers. Ils sont d'une autre époque. Et cet article de journal que tu conserves précieusement. Et les rêves de voyant d'un homme aveugle. Et ces livres dans ta bibliothèque, classés en ordre alphabétique, pour lutter contre le chaos.

Au petit matin, nous décidons d'écrire des lettres aux enfants que nous n'aurons jamais. Non pas pour nous faire du mal, mais pour nous trouver. Créer pour devenir éternel. Mais Béatrice ne veut pas être éternelle. Si j'avais eu un fils, j'aurais aimé l'appeler Paul. Si j'avais eu une fille, Laurence. Je donne plus de lettres aux filles qu'aux garçons. Sandrine et Bernard sont les prénoms de Béatrice. Dans sa lettre, elle utilise les mots « désir » et « gel ».

Puis Béatrice me montre ses pieds. Ils sont couverts de lésions cutanées. Plusieurs interprétations sont possibles : la volonté de ressentir quelque chose, un pèlerinage dans les fardoches, la lèpre. Mais un fait demeure, elle m'a fait confiance et m'a montré ses pieds. Et les organes internes de ton corps, comme une sculpture qui ne doit pas être exposée au grand public. Et le flash de ton appareil photo, un bref instant pour le futur. Et cette prescription qu'on t'a refusée la semaine dernière. Tu cherchais tes mots. Ton corps, lui, parle avec éloquence. Et le non-vécu derrière toi. Et la fêlure dans ta chorégraphie. Et moi qui ramasse ce que tu viens d'échapper.

Nous dormons jusqu'à trois heures de l'après-midi. Après une douche en couple, nous optons pour une promenade. Un pèlerinage d'amoureuses. Nous marchons sur le trottoir de la rue Ouimet. La pauvreté nous regarde du coin de l'œil et une odeur de pain frais parvient jusqu'à nos narines. La boulangerie fait des affaires d'or avec les petits pains vendus à l'unité. Trois personnes âgées se dirigent vers la cathédrale. Elles ne semblent pas se connaître. Elles sont à équidistance les unes des autres. Le magnétisme de la cathédrale. Nous décidons de les suivre. Elles entrent dans la cathédrale par l'entrée principale. Nous les imitons. Nous trempons le bout de nos doigts dans le bénitier. Je fais un signe de croix. Béatrice hésite un instant. Je me souviens des messes de mon enfance. Mes parents étaient très pratiquants. Nous ne sautions jamais le dimanche. Souvent, en pénétrant dans le lieu du culte, mon père me lançait de l'eau bénite au visage en disant : « Ça chasse les démons ! » Mon père avait un sens de l'humour bien à lui.

Nous prenons place à l'arrière, derrière une vieille femme. Elle récite son chapelet. Elle ressemble à ma mère. Dieu est comme l'amour : Il est invisible. Le prêtre commence la cérémonie. Il n'y a, dans la cathédrale, que des personnes âgées. Non, un homme dans la trentaine se tient à quelques mètres de nous. Il porte un sac à dos et des lunettes, une barbe de trois jours et des espadrilles. Elles sont très usées. Ses vêtements sont modestes. Il a des écouteurs dans le creux de ses oreilles mais il semble prêter attention au prêtre. La cérémonie se termine.

— Ils ont raidi leur cou sans obtenir de réponse, me dit Béatrice, en parlant des fidèles.

XIV

Hier, Antoine m'a téléphoné. Il a besoin de mon aide sur la ferme car l'employé habituel s'est cassé le pouce. Il m'a demandé si je voulais venir l'aider durant une journée pour le temps des foins. Il a ajouté que c'était une activité non traditionnelle pour une fille. J'ai accepté. Je dois arriver à la ferme familiale d'Antoine aux aurores. Hier, je me suis couchée tôt.

Je quitte mon lit beaucoup trop tôt, mais c'est l'heure à laquelle je dois me lever pour la traite du matin. Après une douche sommaire, je fais le plein de la Jetta de ma mère, insère un CD de Glenn Gould, le compositeur, et emprunte la 158. Je saute le *Lieberson Madrigal* pour mieux me délecter du *String Quartet Opus 1*. Mais je dois bien l'avouer, je préfère Glenn Gould en pianiste hivernal. Le capitaine du navire était un homme qui murmurait des secrets à son gouvernail. Un artiste doit-il aller vers les autres ?

Comme paysage, des champs de pâturage. Une promenade en voiture. Souvenirs-éclairs : quatre poules déchiquetant une souris. Au loin, des pylônes électriques à la queue leu leu. Des squelettes *heavy metal* ou des totems extraterrestres. Des clôtures elles aussi électriques contiennent des bovidés dans un territoire fertile. Je tente de comprendre les lampadaires au repos le long de la route, puis les cordes à linge, porte-drapeaux, comme une bombe. Moi, Brigitte des Colères, j'ai un cœur de Peau-Rouge. Les montagnes seront-elles au rendez-vous ? Une longue journée au soleil. Nous regarderons derrière nous. Il n'y aura rien. Nous dévisagerons les étrangers et nous serons nous-mêmes des étrangers. Nous serons dévisagés.

Je reviens à Mirabel après avoir rompu les liens. À Mirabel, il existe, outre leur proximité, une étrange relation entre les villages de Sainte-Scholastique, Saint-Benoît et Saint-Placide. Sainte Scholastique était la sœur de saint Benoît de Nursie. Plus étrange encore, il existe un lien hagiographique entre Saint-Placide, situé près du Lac des Deux Montagnes, et Saint-Benoît. Saint Placide, patron des noyés, fut miraculeusement sauvé d'une noyade au mont Cassin par nul autre que saint Benoît de Nursie. Quelqu'un se cache derrière cette manigance.

Silos à grains Weestel Rosco montant vers le ciel et coûtant les yeux de la tête. Silo à moulée hermétique. Ferme ultra-moderne. Maison en pièces de bois pleines, faite pour durer. Une galerie dépeinte, blanche à l'origine.

J'arrive chez Antoine. Des fenêtres à carreaux lavées avec de l'eau et du vinaigre. Aucun bruit entendu de l'intérieur. Antoine m'attend. Nous marchons jusqu'à la laiterie. Le père d'Antoine a écouté le bulletin météo. Nous avons de la chance. Le temps est de notre côté. Dans la laiterie, il y a de nombreuses machines. Elles semblent pleurer en silence mais c'est un leurre émotionnel. J'observe une guêpe. Je demande pardon aux insectes car un jour, j'ai eu sur eux le pouvoir de vie ou de mort. J'ai été le Dieu des insectes. Mais ce pardon ne sera qu'une fissure dans le mur de la laiterie, un trou dans la moustiquaire. Un chat passe entre les jambes d'Antoine. Le regard du félin qui se mesure au nôtre pour le meilleur et pour le pire. Le chat, un animal qui n'aurait jamais dû croiser l'homme. Avant, le chat ne nous ressemblait pas.

Je pars quérir les vaches au fond de la terre pendant qu'Antoine prépare la traite. Je marche. Des poésies-éclairs traversent mon esprit. *Avoir raison pour la dernière fois de sa vie. Compter jusqu'à trois et dire la vérité. Voir JFK se faire assassiner une fois de plus, à la télévision. Survoler le désert.* Les vaches tardent à m'écouter car elles ne me connaissent pas. J'utilise le même mot qu'Antoine pour les faire décoller : « Ouche ». Elles finissent par saisir le message. J'entre dans le troupeau. Nous nous dirigeons vers l'étable recouverte de plaques d'aluminium. Les vaches entrent par l'entrée des artistes. Antoine a préparé les deux trayeuses. Je prends une pause. *Se couper au doigt en ouvrant une boîte de sardines. Faire peur aux oiseaux en marchant sur une voie ferrée. Éviter un éboulement de justesse. Composer de la musique dodécaphonique. Et les réponses dans les trous noirs.* Les vaches ont rarement l'air intelligent. Mais c'est par leur douleur qu'on peut voir leur intelligence. Antoine m'explique : une fois le veau envoyé à l'abattoir, la mère a beuglé durant trois jours. Est-ce par notre capacité d'étonnement que nous évoluons ou par notre volonté de surmonter la souffrance ?

Durant la traite, il y a eu des égarements philosophiques, des hésitations physiques, des ruades et des beuglements. Puis Antoine prépare le chlore et le savon pour le nettoyage du système de pipeline. Il me fait appuyer sur les bons boutons. J'entre dans la maison familiale. Malgré tout ce que j'ai fait, les parents d'Antoine me souhaitent la bienvenue. Leur capacité de pardon est presque aussi grande que mon imagination. Ensemble, nous prenons un déjeuner gargantuesque. La mère d'Antoine nous prépare des œufs, je me verse un bol de musli et le père d'Antoine tente de manger une banane pour compléter son repas le plus important de la journée. Il n'y parvient pas.

Pendant que nous préparons la machinerie, la mère d'Antoine fait nos lunchs : des sandwichs aux œufs, deux Jos Louis et une bonne provision de fruits, sans oublier quatre cannettes de coca-cola. Antoine graisse le tracteur et le racleur, et son père la presse à fourrage : plus de vingt endroits à lubrifier. Pendant qu'Antoine prend possession des lunchs, je fais le plein d'essence des deux tracteurs, soit un Ford avec cabine spacieuse et un Ford 1960 sans cabine, muni d'une pelle hydraulique. Parce qu'Antoine sait que j'aime la musique, il me prête un vieux baladeur. Il m'explique que sans musique, ma journée serait un véritable supplice. Je ne peux vivre sans musique.

Je passerai l'avant-midi à racler le champ situé sous les pylônes électriques, tout au bout de la terre. Je démarre le tracteur. Étant donné que racler ne demande pas une grande force mécanique, le petit tracteur Ford sans cabine suffira à la tâche. Je ne mets pas de crème solaire, les rayons ultra-violets ne me font pas peur. Je suis en manches courtes. Je traverse le pont, le racleur suit à l'arrière. Je syntonise ma fréquence préférée : 97,7 FM, la radio rock par excellence. Antoine me devance, au volant du Ford avec cabine. Il a branché derrière le tracteur la presse à fourrage et, derrière la presse à fourrage, une *wouaguine* à foin vide. Cet avant-midi, Antoine tentera de presser deux voyages de foin que je déchargerai en après-midi.

Au son de *White Rabbit*, je me dirige aux limites de la terre, sous la ligne à haute tension. Je croise les vaches qui broutent dans le pâturage. Je dépasse un gros tas de fumier. La journée sera longue mais satisfaisante pour tout le monde. Je me retourne et j'aperçois la mère qui étend des vêtements sur la corde à linge. Je vois des drapeaux qui dansent dans le vent sec. Antoine et moi conduisons lentement, car c'est dans la vitesse que surviennent les accidents. Antoine prend à droite, juste après l'orme malade, et je poursuis ma route. Mon baladeur hurle dans la langue de Bowie.

Le champ de trèfle que je dois racler a été fauché hier, il est donc pratiquement sec, le temps ayant été clément depuis une semaine. La ligne à haute tension est juste au-dessus de ma tête. Les parasites brouillent les ondes radio et le bruit blanc envahit mes écouteurs bon marché. J'abaisse le racleur à l'aide du levier situé à côté de mon siège et me mets au boulot. Je dois racler le premier rang sur le deuxième, ensuite, je ferai demi-tour et raclerai le troisième rang sur le deuxième. Cela formera un rang d'une dimension idéale pour la presse à fourrage.

Les ondes sont toujours brouillées. Le temps sera long. Je décide de me mettre à chanter. Ma voix est loin d'être agréable. J'observe de loin Antoine qui presse le foin. Je compte les balles qui sont catapultées par le lance-balles de la presse à fourrage. Elles atterrissent dans la *wouaguine*, pêle-mêle. Des poésies-éclairs surgissent de nulle part. Une odeur de foin parvient à mes narines. Les ondes sont brouillées, le soleil est ardent et je cesse mon tour de chant, par respect pour les papillons.

Une fois le champ de trèfle raclé, je retrouve Antoine pour le dîner. Nous décidons de manger à l'ombre de l'orme malade. Je veux savoir si Antoine est toujours amoureux de moi. Il me répond : « J'ai eu ma leçon ». Il me raconte que les bons et les méchants ne sont que des rôles parlants. Une fois nos Jos Louis dans l'estomac, Antoine me demande de descendre le voyage de foin et de le décharger, puis il me met en garde contre les coups de chaleur. Pendant que je manierai les balles de foin, Antoine pressera ce que je viens de racler. Ainsi va ce temps des foins.

Je laisse le racleur à l'ombre de l'orme malade et je descends le voyage de foin jusqu'à l'étable avec mon tracteur Ford muni d'une pelle hydraulique. Chemin faisant, j'observe un renard qui longe un champ de maïs juvénile. Il cherche une proie. Les bons et les méchants ne sont que des rôles parlants. Je place le chargement vis-à-vis le remonte-balles. C'est très difficile, car les balles de foin empêchent de bien voir. Antoine m'a donné un truc : une fois que le tracteur a passé le remonte-balles, je compte jusqu'à cinq, après quoi la porte de la *wouaguine* est alignée à la perfection avec la porte faite de chaînes de métal. Antoine a longtemps cherché l'intervalle idéal entre les chiffres.

Je descends du tracteur et branche le moteur du remonte-balles. La chaîne se met en branle. J'ouvre la porte de la *wouaguine*. La voie est libre et une balle de foin, qui était retenue par les chaînes, me tombe dessus. Elle vient de quitter le nid familial et vole de ses propres ailes. Cela fait partie du jeu. J'abaisse la plate-forme qui accueillera mes pieds et je me donne un élan. Ce chargement contient environ deux cents balles de foin. J'extirpe les premières avec difficulté. Étant donné qu'elles ont été catapultées dans le désordre par le lance-balles de la presse à fourrage, elles sont tissées serrées dans la *wouaguine*.

J'essaie de me faire une place. Je dois bien gérer mes forces. Je ne dois pas commencer en lion et finir en mouton. Aujourd'hui, je serai un bœuf lent. Quatre balles de foin, puis dix, puis vingt, sans jamais prendre de pause. Je suis un bœuf lent et têtu qui dépose des balles de foin sur le remonte-balles, qui à son tour achemine ces balles de foin au sommet de la grange. Et les balles de foin déboulent en formant des monticules. Cinquante balles, puis cent. Je suis un bœuf lent couvert de sueur.

J'aperçois une vache qui vient brouter une balle de foin à travers les barreaux de la *wouaguine*. Je lui donne un coup de pied sur le museau et crie : « Ouche ! » Elle reviendra, car elle aussi est têtue. Je forge d'autres poésies-éclairs. Antoine redescend des champs avec un second voyage de foin. Il immobilise son chargement à une dizaine de pieds de la *wouaguine* vide. De son tracteur, il me regarde travailler. Il descend.

– Décharge ce deuxième voyage et après tu pourras rentrer chez toi, mon père va m'aider à traire les vaches.

J'attaque le deuxième voyage avec autant de lenteur efficace que le premier. Le bœuf est un ruminant de longue haleine. Mais mes forces faiblissent à la vitesse du lièvre. Je cherche mon souffle. Je dois continuer. Je cherche des poésies-éclairs pour me donner de l'énergie. J'en trouve de moins en moins. Après avoir déposé cinquante balles de foin sur le remonte-balles, je déclare forfait. Je quitte ma plateforme et j'avise Antoine que j'abandonne. Mon ancien admirateur se met à rire. Il me lance :

– Brigitte devrait peut-être devenir hygiéniste dentaire.

Je l'envoie promener et j'ajoute :

– Tu m'as fait venir ici pour tenter une nouvelle offensive amoureuse. J'ai tout compris. Antoine, continue tes aventures sans lendemain, c'est préférable. Bye.

Je reviens chez moi. Je suis morte de fatigue. À l'intérieur d'une nuit, un mouvement roulant sur l'infini ligné et courbé car la Terre est ronde, une de ces grandes routes qui vous mènent là où vous êtes. Le reste du cantique m'échappe. La lune est pleine, entourée de son aura gris-bleu-vert. Durant la nuit, l'air que nous respirons provient de la lune. Mais l'obscurité n'est pas loin : tapis noir au plafond du monde.

Demain, ma mère, son copain et moi-même partons pour le Saguenay. Je dois faire ma valise. Ma cousine se marie. Elle nous a envoyé un faire-part au début de l'été. Nous serons présents. Deux nuits au motel *Le Montagnais,* car ma cousine se marie à Chicoutimi. Je devais être en psychose le jour où j'ai accepté d'assister à ce mariage.

Je me souviens de ma sixième hospitalisation, ma dernière hospitalisation. Ce jour-là, il y avait un nouveau patient sur l'étage. Ce matin-là, juste avant le déjeuner, l'infirmière lui avait fait visiter les lieux. J'avais décidé d'espionner ce jeune homme d'environ mon âge. Ils visitaient les douches. L'infirmière lui avait expliqué leur fonctionnement. Je faisais semblant de me prendre des draps propres. J'entendais les mots «immortel» et «eau chaude». Le jeune homme parlait à voix basse. Puis il avait visité la salle commune. Il ne regardait jamais en direction de la télévision. Cela semblait l'effrayer. Le patient avait feuilleté des revues pendant dix-vingt secondes. L'infirmière lui parlait. Il ne semblait pas écouter. Il tremblait parfois de la main droite. Il regardait les casse-tête. Il avait frôlé une pièce de puzzle avec sa main gauche. J'entendais des phrases. Je faisais semblant d'écouter une émission matinale. J'avais entendu : « Au son des nouvelles télévisées, mes souvenirs se fortifient auprès des scientifiques. » Et : « Sous les bombes, mes désirs espèrent dans l'anonymat ».

Il était maintenant l'heure d'aller déjeuner. L'infirmière dirigeait le patient vers l'ascenseur. Je les suivais de près. Nous étions sept personnes à attendre l'ascenseur. J'étais derrière lui. J'étais derrière le sujet de ma mission d'espionnage. Il portait une jaquette d'hôpital et des pantoufles. Dans l'ascenseur, jamais personne ne parlait. C'était un lieu de recueillement.

L'infirmière avait accompagné le nouveau dans le réfectoire. Elle lui avait dit de se prendre un plateau. Elle l'avait répété. Le patient semblait ailleurs. Il s'était pris un bol de gruau, sans sachet de cassonade. Avec une tasse de café. Je m'étais pris moi aussi un bol de gruau. Mais moi, je n'avais pas lésiné sur la cassonade.

Le sujet de ma mission mangeait seul. L'infirmière l'avait laissé sans surveillance. Heureusement que j'étais là. Le patient marmonnait quelque chose en brassant son gruau. Il brassait son gruau avant chaque bouchée. J'avais terminé en même temps que lui.

Je l'avais suivi dans le corridor menant à l'ascenseur. Nous étions passés devant l'entrée principale de l'aile psychiatrique. L'agent en poste avait regardé le patient d'un air soupçonneux. Je lui avais rendu son regard. Je le détestais. Le patient attendait devant l'ascenseur, toujours seul. Curieusement, il n'avait pas appuyé sur le bouton. Il attendait. J'avais appuyé sur le bouton. Il ne me regardait pas. Les portes s'étaient ouvertes. Des psychiatrisés étaient sortis d'un pas rapide. L'un d'eux s'était esclaffé en sacrant. Ils se dirigeaient vers le réfectoire. Le sujet de ma mission d'espionnage et moi montions au quatrième. Durant les quelques secondes qu'avait duré notre ascension, il avait prononcé deux phrases : « À l'autre bout du fil, nous nous manifestons dans le château terrifiant » et « Dans le ciel écarlate, la thérapie est comme un rituel vide ». Je commençais à manifester de l'intérêt pour cet inconnu. J'aimais ses phrases énigmatiques. J'ignorais si ses deux phrases étaient des tentatives de dialogue, des commentaires pour lui-même, des secrets dits à haute voix ou des cris du cœur.

Nous étions arrivés au quatrième. Du poste de garde, l'infirmière avait demandé au nouveau s'il avait bien déjeuné. Il avait répondu : « Vous me tenez au-dessus de l'abîme ». L'infirmière avait inscrit quelque chose dans son dossier. Elle n'avait pas remarqué ma présence. Le patient lui grugeait son énergie. Je le sentais.

J'avais suivi de près le centre de mon intérêt jusqu'à sa chambre. Un spasme lui avait secoué l'épaule droite et il avait refermé la porte.

J'avais quitté l'hôpital le lendemain. J'ignore si je le reverrai quelque part, à Saint-Jérôme ou ailleurs.

Je me suis toujours dit que je ne saluerais jamais un ancien camarade de la folie, que je ne ferais jamais les premiers pas envers eux, car je craindrais d'éveiller des mauvais souvenirs. Certains tiennent à tenir secret leur séjour en psychiatrie. Je les comprends.

XV

Le copain de ma mère est la personne que je déteste le plus au monde. «Ce serait un autre homme et ça serait pareil, je crois bien.» Voilà ce que je dis à ma mère. Je ne peux pas aimer cet homme-là. Je ne veux pas, surtout. Chaque portrait que je dresse de lui est pire que le précédent. La dernière fois, je le comparais à un protozoaire. Je déteste le métier qu'il a exercé (policier), son vocabulaire (quand il ne sait pas quoi répondre, il dit: «C'est toute une affaire, ça!»), sa démarche (Maurice est un homme fier), son style vestimentaire (le règne du brun-beige en hiver et des chemises hawaïennes en été), sa voiture (une Cadillac blanche 1988, évidemment). Je déteste le peu qu'il essaie de me dire.

Lorsqu'il appuie sur la sonnette, Maurice appuie durant dix secondes. Il n'a pas encore compris que deux secondes suffisent, car le bruit de la sonnette est assourdissant. Il me raconte souvent que lorsqu'il avait mon âge, il pouvait travailler jusqu'à quatre-vingt heures par semaine. Maurice me fait régulièrement son apologie de la «grosse ouvrage». Par chance, il ne vient qu'une fois par semaine et ma mère passe les week-ends chez lui. Mon calvaire est de courte durée.

Une fois par semaine, il me parle de sa famille. Il a cinq enfants. L'aîné de la famille est son préféré. Tout ce qu'il fait est de l'or en barre pour Maurice. Cet aîné, je l'ai rencontré une seule fois. Vers la fin de notre conversation, je lui ai dit : «Ce sont ceux qui s'approchent le plus de la vérité qui souvent souffrent le plus. J'ai longtemps hésité à vivre dans la société mangeuse d'hommes. Cette puanteur de la réussite à tout prix qui s'imprègne sur mes vêtements. La pression des autres qui me fait sauter la cervelle». Il m'avait répondu en citant l'allégorie de la grosse ouvrage.

Je me suis fermée à Maurice. Il le prend mal et n'a d'autre choix que de me détester en retour. L'ancien secrétaire à la Défense des États-Unis, Robert Mc Namara, l'a dit : «Il faut se mettre à la place de l'ennemi». Plus terrible encore, cet homme connaissait mon père. Enfin, il croit l'avoir connu. Il n'a pu le connaître car tout est secret chez nous, dans notre famille nucléaire. Il représente tout ce que je ne veux pas être. Peut-être qu'au fond, il m'est bénéfique. Je tente de me définir par rapport à lui. Cette angoisse morcelante que je traverse ne peut s'aggraver en sa présence, car je dois rester debout devant lui, en un seul morceau. Mais par respect pour ma mère, je garde le silence. Il ne comprend rien à ma maladie. Moi non plus.

Après la Transcanadienne et le parc des Laurentides, nous arrivons au terminus Voyageur de Chicoutimi. Nous avons pris le bus, vitres teintées et toilettes fermées demandant un bon équilibre. Ma mère y tenait. Durant le trajet, je n'ai fait qu'un avec mon baladeur. J'ai tenté d'abaisser mon siège. Le résultat m'a déçue. Mon oncle Harold arrive au volant de sa Subaru. Il nous conduit à notre motel. Trois de mes oncles habitent toujours au Saguenay-Lac-Saint-Jean. Mon oncle Harold est un retraité de l'Alcan et un ancien gardien de but des Saguenéens de Chicoutimi. Il est le père de la mariée et tout le monde l'appelle «Harry». Lorsqu'il va manger dans son *steak house* préféré, mon oncle Harold y amène sa propre sauce à bifteck maison. Son frère, Louis, l'aîné de la famille, demeure à quinze minutes de chez Harry, qu'il voit régulièrement pour prendre une bière. Mon oncle Louis a joué dans la ligue américaine de hockey et a vécu à Philadelphie pour chausser ses patins. À son retour, il est devenu représentant pour Molson. Quand j'étais jeune, à la fin de chaque visite estivale, mon oncle Louis m'offrait un sac de sport Molson. Je les garde précieusement.

Nos chambres de motel n'ont rien d'extraordinaire. L'archétype de la chambre de motel : deux lits doubles, couvre-lits bourgogne, petit climatiseur encastré dans l'unique fenêtre, la bible des Gédéons dans un tiroir, un tableau représentant un coucher de soleil. J'aime bien vivre dans un décor imposé par quelqu'un d'autre. J'allume la télévision pour sa présence cathodique

Souper pour trois à proximité du Montagnais. Maurice commande un steak-frites. J'aurais gagé cent dollars là-dessus. Ma mère et moi choisissons le saumon. Le copain de ma mère mange avec appétit. J'aurais gagé là-dessus aussi. Ma mère, elle, abandonne la partie après cinq bouchées. Le souper est d'une tristesse polonaise. Il me faudrait des sous-titres pour mieux comprendre le discours de Maurice. Moi, Brigitte des Colères, décide de les prendre par surprise :

— Maman, je voulais te dire : j'ai rencontré une fille. Elle s'appelle Béatrice. Elle est schizophrène. Je sors avec elle.

— Ensemble, vous pouvez vous comprendre. J'aimerais la rencontrer.

— Je vais te la présenter, un jour.

— Elle fait quoi de ses journées ?

— Elle écrit de la poésie.

— Voilà un domaine où tu excellerais, Brigitte.

— Il y a des tas de domaines où j'excellerais. Tous les domaines en voie de disparition. J'aime pas

144

quand tu dis : «Elle fait quoi de ses journées ? » Cela sous-entend qu'elle ne fait pas grand-chose.

– Je n'ai pas dit ça. Je me suis seulement dit que si elle est schizophrène, elle ne doit pas être avocate.

– En ce moment, je vois un champignon nucléaire au-dessus de la ville de Prospérité. En ce moment, maman, j'aimerais que tu sois schizophrène pour voir l'effet que ça fait.

– Brigitte, ne me parle pas sur ce ton. Je suis ta mère. Et je sais ce que ces gens-là traversent.

– Le vivre de l'intérieur, voilà ce dont je te parle. Ne pas être celui qui regarde mais celui qui est regardé.

– Brigitte, ça suffit. Tout ce que je fais pour toi… Je déteste quand tu me prends pour ton ennemie.

Je décide de me mettre à la place de ma mère pour tenter de la comprendre. Je lui demande pardon. Puis je suis témoin d'une scène répugnante : le copain de ma mère laisse deux dollars de pourboire pour une facture de soixante-dix dollars. Une fois à l'extérieur du restaurant, je fais semblant d'avoir oublié quelque chose et je retourne à l'intérieur pour corriger la situation gênante. Je laisse sept dollars de plus. Je déteste les radins et je déteste Maurice qui est un champion-radin. Ma mère préfère ne pas commenter et nous rentrons au motel en silence.

Je prends une douche que je préfère au bain et je fais les cent pas dans ma chambre, pour mon plus grand plaisir. Mon lit double m'attend. Je suis seule et c'est très bien comme ça. J'aime bien me mentir. Je prends mes médicaments. Je décide de ne pas éteindre la télévision et de passer la nuit avec elle.

Le lendemain, ma mère retrouve des amies d'enfance. Elle me présente. Nous entrons dans l'église. Mon oncle Harold me fait un clin d'œil. Durant la cérémonie, Marguerite, trois ans, fille de ma cousine et de son futur époux (maintenant son époux) s'amuse à tirer la traîne de la robe de sa mère. Elle la malmène. «Cette traîne est trop longue, je dois m'occuper de ça.» se dit-elle peut-être. Mes chers artilleurs, la robe de ma cousine est tout droit sortie d'une mauvaise pub des années 1980. Et sa mise en plis est nocive pour l'environnement. Marguerite tourne autour de l'autel. Le prêtre ne bronche pas. Tout va pour le mieux, pour l'instant. La fête peut commencer, en présence du prêtre.

Parmi les suprêmes de volaille et les biftecks de côte, j'ai l'idée de partir, physiquement. De prendre ma carcasse et de l'emmener ailleurs. Je pourrais quitter la réception, descendre la rue tortueuse et gagner la rivière Saguenay, ou traverser le pont de la rivière Shipshaw, me fondre dans le roc et attendre l'arrivée d'un désespéré. Je pourrais quitter la réception, descendre la rue tortueuse et gagner la *Main*. Je danserais au milieu du trafic du samedi soir. Je hurlerais des phrases qui n'auraient aucun sens, si cela est possible. J'affronterais les feux de circulation. Je leur cracherais au visage. Puis je commettrais un hold-up dans une S.A.Q. Je pourrais quitter la réception, descendre la rue tortueuse et gagner le terminus. J'achèterais, à l'aide de ma carte de crédit, un aller simple pour Québec. Je monterais à bord de l'autobus Voyageur sans dire un mot. Puis, au milieu du trajet, parmi les ravages de la tordeuse d'épinettes, je piquerais une crise épouvantable. J'exigerais qu'on me laisse descendre de cet autobus. Je les menacerais d'un couteau que j'aurais préalablement volé à la réception. Pour le bien et la sécurité des autres voyageurs, ils me laisseraient descendre. Sans aucun bagage, donc, je gagnerais la forêt, à la recherche d'un *shack* en bois rond, et je deviendrais garde-forestière du parc des Laurentides.

Nous rentrons au motel. Je gagne ma chambre. Ma mère est ravie, son copain l'est aussi. Demain, nous repartirons, bredouille pour ma part, mais ça ne fait rien. «Brigitte, maman est heureuse, tâche de ne pas tout gâcher.» Puis j'avale mes comprimés. Le sommeil tarde à venir. Je décide de prendre un Serax.

Quelque chose m'effraie parfois, quelque chose d'invisible, quelque chose que je porte dans mon ventre, dans mon cerveau et dans mon sexe. Plus jeune, lorsque je devenais vulnérable, je prononçais le mot «destin» à voix basse pour l'éloigner du tragique. Parfois, je suis brave et j'affronte ma tragédie. J'ai voulu réinventer la bombe atomique. J'ai perdu des plumes. Enfant, j'ai volé les colliers de ma mère pour les offrir à mes poupées. Enfant, j'utilisais le mot «déterrer». Parfois, lorsque je suis fragile, j'ai peur de me désintégrer. Pour me rassurer, je me dis: «Rien ne se perd, rien ne se crée. Je suis éternelle.» Mais cela fonctionne rarement. J'aurais aimé être la sœur de Franz Kafka.

Je me souviens de ma sixième hospitalisation, ma dernière hospitalisation. J'avais décidé de lutter contre mes somnifères. Je ne devais pas m'endormir. Je m'étais relevée et m'étais installée à mon petit bureau. J'avais sorti mon stylo. Mes chers aumôniers, cette nuit-là, j'avais dessiné un labyrinthe. Je l'avais créé de façon aléatoire. Au centre, j'avais dessiné un point noir. Au même moment, on avait cogné à la porte et on avait ouvert aussitôt. Le préposé qui faisait sa ronde de nuit m'avait demandé pourquoi je ne dormais pas. «Va te faire foutre», lui avais-je répondu. Il allait revenir avec l'infirmière, c'était certain. Comme prévu dans le script, l'infirmière était arrivée dans ma chambre.

— Brigitte, tu dois dormir et non pas dessiner, m'avait-elle dit d'un ton cassant.

— Mon dessin est plus important que mon sommeil.

— Et que dessines-tu?

— Un labyrinthe. Regardez, lui ai-je dit en lui montrant mon œuvre.

– Tu peux nous laisser, Dominic, a dit l'infirmière au préposé. Brigitte, que signifie le point noir au centre?

– Vous jouez au psychiatre. Vous en avez assez de votre rôle de nurse. Vous n'avez pas les qualifications. C'est moi, le point noir. Moi au milieu d'un labyrinthe.

– Veux-tu me donner ton dessin, je le montrerai au docteur Friedman, demain.

– Et il tentera de l'interpréter à l'aide du DSM IV?

– Écoute, le docteur Friedman se fait du souci pour toi.

– Il en a rien à foutre de moi. Et il en a rien à foutre de vous non plus.

XVI

Au téléphone, Béatrice m'a dit de me laisser guider par l'odeur. De cette façon, je ne peux pas me tromper, car le tableau qu'expose Béatrice dégage, selon ses dires, une odeur infecte qui réveillerait un mort. Je retourne au cégep de Saint-Jérôme en tant que visiteuse. La session automne-hiver vient de commencer. J'ai prévenu ma copine de ma visite. J'ai étudié durant une session dans cet établissement. Je m'étais inscrite en sciences humaines. Je me souviens des premiers vers de ce poème: Il existe une île qui fait des vagues / Sa mouvance est légendaire / Tous ceux qui s'égarent en mer s'y retrouvent / Et leur quête devient la sienne. Un poème sur mesure pour le programme de sciences humaines.

J'aime me perdre dans le bloc G. Aujourd'hui, éclats de rires interdisciplinaires. Les profs de français et les profs de physique se moquent des profs de philo. Je ne passe la porte d'aucun département. Je me contente des corridors et des murs instructifs. J'aime la murale sur l'origine et l'évolution de l'écriture devant la porte du département de psychologie. J'aime aussi les portraits d'Émile Durkheim, d'Auguste Comte et de Lénine et les images en noir et blanc d'une filature de 1930 (surtout en noir, en fait) en périphérie du département des sciences sociales. Parmi mes reproductions préférées, il y a *Stepping Out* de Roy Lichtenstein et un *sans titre* de Jean-Paul Riopelle datant de 1954. Au cégep de Saint-Jérôme, il y a plusieurs reproductions qui garnissent les murs des corridors : *The Tired Model* de Paul Peel en face du C-113, l'étude pour angles accentués no 32 de Kandinsky et le coin Van Gogh situé près des salles de classe D-312 et D-324. Quand j'étais inscrite en sciences humaines, je croyais que ces tableaux jouaient à la chaise musicale. Ma liaison avec la démence ne date pas d'hier. Aujourd'hui, je reste pendant plusieurs minutes en extase devant la machine distributrice de boissons gazeuses. Je me dis : « C'est du Pop Art ».

Relativement saine de corps et d'esprit, je déambule dans les corridors. Une odeur de vomi plane dans l'air de l'agora : stress de la rentrée. Durant la libération commune, j'ai un choc : Béatrice porte un casque de Viking en plastique, des lunettes fumées et elle tente de zapper l'âme d'une élève avec une télécommande de téléviseur.

– Satan, sors de ce corps ! Satan, sors de ce corps ! crie-t-elle.

Les autres élèves se tordent de rire. Moi aussi. Mes chers éclaireurs, vous l'aurez deviné, Béatrice s'est inscrite en arts plastiques.

– C'est une initiation ? lui demande une prof.

– Non, c'est pour faire rire Brigitte, lui répond Béatrice.

Lors d'un cours d'histoire de l'art portant sur Manet, le professeur a demandé à ses élèves : « Qui pourrait me commenter ce tableau ? », en parlant du *Déjeuner sur l'herbe.* Sans hésitation, Béatrice a levé sa main et a répondu : « Ce sont deux filles qui vont pique-niquer avec deux gars et elles se rendent compte qu'elles sont elles-mêmes le lunch ». Béatrice aime me raconter en détail ses interventions en classe, et ce, pour mon plus grand plaisir.

La puanteur dépasse l'entendement. C'est insupportable d'un bout à l'autre de la galerie improvisée située au quatrième étage, l'étage des arts plastiques. Mais ces émanations sont accompagnées d'une aura de mystère. Il y a un ingrédient secret. Le génie ? La démence ? Je l'ignore. Béatrice refuse de me donner quelque indice que ce soit. Elle emportera son secret avec elle dans sa tombe. Le tableau est impressionnant : des détritus recouverts de peinture forment une étrange mosaïque. Je reconnais une feuille d'érable malmenée et un vieux chewing-gum à la retraite. Le tableau s'intitule *Quand l'homme vient, la nature va.*

– Et puis ? me demande Béatrice.

– Ambitieux. C'est quoi, cette odeur putride ?

– Les entrailles d'un rat mélangées avec des excréments et des insectes. En fait, je voulais foutre le feu à mon œuvre, mais les autorités du collège l'auraient éteint. Ce qui, à mon avis, aurait été un autodafé inversé.

– J'aime ton tableau.

– Merci, Brigitte.

Béatrice m'emmène dans le local destiné aux élèves en arts plastiques, situé au quatrième étage. C'est une toute petite pièce, de la grandeur de ma chambre. Un vieux frigo bombé sur lequel sont peints les visages des Blues Brothers garde le fromage au frais. Les jeunes artistes y font leurs travaux, échangent des idées, portent aux nues William S. Burroughs et récitent du Boris Vian. Mais ce n'est que la pointe de l'iceberg, fort heureusement. Les plus brillants sont souterrains et peu bavards. Ils regardent le sol en marchant. Leur adolescence a été minable. Le meilleur reste à venir.

Béatrice me quitte pour son cours de philosophie. Je décide de visiter la galerie improvisée une seconde fois, pour mieux observer les autres œuvres qui tentent de survivre dans la puanteur de Béatrice. Le titre d'un collage plutôt ordinaire attire mon attention : *Les derniers jours de monsieur Brisebois*. Je songe momentanément à Bernard Brisebois. Je ressens l'envie irrésistible de lui rendre visite. Cet après-midi, moi, Brigitte des Colères, je vais rendre visite au meilleur ami de feu mon père.

Je me fais passer pour une étudiante et je mange un repas à la cafétéria. Aujourd'hui, le chef a préparé de la lasagne. Étonnamment, il sert le mets italien avec des brocolis. Le chef est un homme que j'apprécie car ses brocolis sont beaucoup trop cuits et moi j'aime mes brocolis bien mous. La cafétéria est bondée, mais je n'ai pas le temps de superposer mes propos sur ceux des cégépiens. J'ai mieux à faire.

J'emprunte la Jetta de ma mère. J'insère mon CD de Glenn Gould, le compositeur, dans le lecteur. Je quitte Saint-Jérôme et emprunte la 158 jusqu'à Lachute, pour ensuite tourner à gauche sur la rue Béthanie et finalement rouler sur la 148 jusque chez Bernard. Je croise les doigts pour que celui-ci n'ait pas déménagé. Mieux encore, je croise les doigts pour qu'il soit toujours vivant.

La maison en papier-brique a fait place à une maison en bardeaux d'asphalte. Une rallonge a été construite. Je me gare derrière un Econoline coquille d'œuf. Je descends de la Jetta. La propriété a été réaménagée. La pépinière d'autrefois a fait place à un terrain vague plein de fardoches. Je crains le pire. Je reconnais toutefois la vieille grange. Je sonne. Bernard m'ouvre la porte. Il n'a pas pris une ride. Il me serre dans ses bras après avoir dit mon prénom.

J'entends une musique provenant du salon.

– Je suis tellement content de te revoir.

Bernard m'invite à entrer. L'intérieur de la maison a changé. Les murs ont été repeints. Mais Bernard n'a pas perdu de son excentricité. Des photographies de coquerelles ornent les murs du salon.

– Tu as payé une designer d'intérieur ?

– Tu n'as pas perdu ton sens de l'humour. Bien. Pour répondre à ta question, j'ai fait rentrer une femme l'année dernière. Elle m'a convaincu de faire des améliorations avant de me quitter.

– Qu'est-ce qu'on entend ?

– *Le Sacre du Printemps* de Stravinsky, car nous sommes lundi.

– Les lundis sont consacrés à Stravinsky ?

– Tout à fait. Les mardis aux compositeurs russes, les mercredis aux interprétations de Gould, les jeudis à Stockhausen, les vendredis à Bartok, les samedis à Ravel et les dimanches à ce bon vieux Bach.

– Pourquoi des photographies de coquerelles ?

– Ma nouvelle passion : l'extermination.

– Intéressant.

Moi, Brigitte des Colères, j'ai toujours été attirée par le monde des insectes. Je lui pose plein de questions sur l'extermination. Paradoxalement, Bernard vénère les insectes qu'il extermine. Bernard m'explique qu'il vit de l'infestation, qu'il vit du génie créatif des insectes.

– Les insectes étaient là bien avant nous. Nous leur devons le respect. Et ils sont tellement fascinants. Viens avec moi.

Bernard Brisebois m'emmène dans la rallonge de la maison. Au centre de la pièce obscure, il y a un aquarium. Je me rends vite compte que l'aquarium ne contient pas d'eau, encore moins de poissons.

– Brigitte, je te présente mes petites amies les blattes.

Une trentaine de blattes vivent le parfait bonheur dans l'aquarium. Bernard a fait la déco intérieure. Il a placé une fourchette, une cuillère, des plantes, des écorces de bois. Puis je remarque des morceaux de papier.

– Tu les aimes?

– Plus que tout au monde. J'ai voulu faire un hybride entre leur état dans la nature et celui dans nos maisons.

– Bernard, je te dis: «Bravo!» Mais pourquoi du papier?

– Les blattes raffolent du papier. Elles dévorent les livres.

– Parle-moi des blattes.

– Contrairement aux abeilles ou aux fourmis, les blattes sont des êtres autonomes, et ce, malgré le fait qu'elles sont grégaires. Elles sont lucifuges. Elles peuvent se nourrir de cadavres d'autres blattes, mais elles ne sont pas carnivores. Il y a quelque 4000 espèces:

Periplaneta americana, Blatella germanica, Blatta orien-
talis, Supella longipalpa, Blaberus giganteus, Grompha-
dorhina portentosa, Neostylopyga rhombifolia…

L'exposé oral de Bernard est à la fois fascinant et répugnant. J'adore ça. Je n'ai jamais vu Bernard Brisebois avec des yeux aussi brillants. Il m'invite à prendre un verre de gros gin. Je ne peux refuser. Après trois gorgées, je lui demande s'il accepterait de me prendre comme apprentie. Il accepte. Il me demande de revenir dans trois jours. Jeudi prochain, donc, je serai présente pour contrer une infestation de souris dans une résidence.

Je me souviens de ma sixième hospitalisation, ma dernière hospitalisation. J'étais étendue sur mon lit. J'éprouvais plusieurs sentiments simultanément : de la haine mêlée au désir, à l'amertume et à la crainte. J'entendais des voitures qui klaxonnaient dans la nuit jérômienne. La conduite automobile dissimule parfois des troubles mentaux et ma solitude-tyrannie était une musique puissante. J'avais entendu un hurlement. J'avais entendu quelqu'un qui résistait. J'avais décidé d'aller voir. J'avais ouvert la porte de ma chambre. Au fond du corridor, devant la porte des toilettes, un préposé tentait de maîtriser Marion, en pleine crise d'hystérie. Le code 222 avait été lancé à l'interphone. Marion mordait, criait, donnait des coups de pied et insultait le préposé. J'avais tenté de lui venir en aide en criant :

– Tu dois recracher, Marion, tu dois recracher.

Le préposé m'avait demandé de la fermer et de retourner dans ma chambre. Les infirmières étaient arrivées en renfort. J'avais souri. Marion, cheveux blonds courts platine, rouge à lèvres saillant, ne pesait que cent livres, mais sa colère avait décuplé sa force physique. Des préposés étaient arrivés au pas de course. Ils s'étaient mis à cinq pour la maîtriser. Les autres patients de l'étage regardaient la scène avec effroi. Certains pleuraient. Marion jeta la serviette et ils l'emmenèrent en isolement. On nous avait ordonné de retourner dans nos chambres. Mes chers sous-mariniers, Marion combattait son sédatif au nom de la colère.

Je me souviens de ma sixième hospitalisation, ma dernière hospitalisation. On m'avait emmenée en ambulance. J'étais demeurée consciente durant tout le trajet. L'ambulancier me parlait. Je le regardais dans les yeux. Un jour, cet homme ne verrait plus le soleil se lever, ni se coucher. Il serait enfermé quelque part, sans aucune fenêtre. Lorsque j'étais arrivée à l'hôpital, l'urgentologue m'avait fait boire un liquide contenant du charbon activé. Au téléphone, l'infirmière avait mentionné que je coopérais mal. Cela m'avait plu. On m'avait transférée en observation. J'étais allée à la selle peu après. Mes selles étaient noires comme de la suie. J'avais de la difficulté à marcher, comme si j'étais un robot mal huilé.

En fin d'après-midi, j'avais rencontré le psychiatre. L'homme qui ne voulait rien oublier. Il m'avait demandé si je voulais toujours me suicider. J'avais répondu que oui. Il m'avait ensuite demandé si je voulais me sauver de l'hôpital. Oui encore. À ce moment précis, je m'étais vue traverser la rue devant l'hôpital et me faire frapper mortellement par un poids lourd. Le psychiatre faisait de l'embonpoint et avait un nom musulman. Il avait un léger accent. Lorsque je lui parlais, il regardait le mur devant lui. En parlant, je regardais le mur moi aussi. Nous communiquions par ricochets sur le mur. Mon désespoir rebondissait mieux que les questions de mon interlocuteur. Il m'avait annoncé que j'étais désormais en cure fermée, puis il m'avait demandé de refermer la porte en sortant.

– Fermez-la vous-même, votre putain de porte, lui avais-je répondu.

J'avais dû retirer mes vêtements et enfiler la jaquette d'hôpital. J'avais pu me changer dans la salle de bains de l'observation. J'avais remis aux infirmiers le contenu de mes poches de pantalon. Les infirmiers avaient rempli une fiche en notant mes effets personnels, soit trois gommes à mâcher et un tampon. J'étais maintenant seule avec ma jaquette qui laissait entrevoir mes fesses. Mes chers éclaireurs, la jaquette a été ainsi conçue pour nous diminuer et diminuer par ce fait même notre riposte.

En début de soirée, un préposé m'avait transférée au bloc UTP. Nous avons traversé un couloir souterrain. La tuyauterie au plafond grondait sourdement. J'avais vu le mot «Morgue» suivi d'une flèche et un peu plus loin, le mot «Archives». L'un ne va pas sans l'autre. Le préposé m'avait expliqué que ce long couloir était utile pour transférer les patients vers l'aile psychiatrique lors des journées pluvieuses ou durant l'hiver. Ce soir-là, il pleuvait.

XVII

Pour connaître les origines de Béatrice, nous devons nous projeter à Vankleek Hill, vers la fin des années 1950. Les grands-parents de ma blonde étaient propriétaires d'une terre avec une exploitation laitière. Depuis plusieurs décennies, ce petit village ontarien, situé juste derrière Hawksburry, avait une vocation agricole bien définie. À l'époque, le grand-père de Béatrice, originaire de Saint-Eustache et maîtrisant à peine l'anglais, s'y était établi avec sa femme dans l'espoir de vivre de la terre. Mais avec l'arrivée de leurs deux enfants, ce rêve avait périclité.

La mère de Béatrice, âgée de quatre ans, a découvert la région de Saint-Hippolyte en compagnie de son frère et de ses parents. Son père s'était converti à la charpenterie. La mère de Béatrice a commencé l'école un an plus jeune que ses camarades de classe, à cause d'une date de naissance défavorable. Bien vite, elle a décrété qu'elle n'aimait pas l'école. Adolescente, elle ne conservait que quelques souvenirs de Vankleek Hill.

Ces mêmes quelques souvenirs ont pris des forces dans sa mémoire et ils sont devenus inoubliables, peut-être parce qu'ils étaient si peu nombreux et donc, presque immuables. L'haleine d'une vache lors d'un soir d'hiver dans l'étable, une fête du Jour de l'an avec des gens qui ne parlaient que l'anglais reviennent périodiquement peupler la pensée de Murielle.

Après avoir étudié deux ans en secrétariat, elle a changé de cap en optant pour l'imprimerie. Malgré ses talents en dactylographie, ses difficultés en français étaient trop grandes et cette faiblesse a déterminé son choix. Et c'est en s'inscrivant en imprimerie qu'elle a rencontré celui qui allait devenir son mari, un jeune homme originaire de la paroisse Sainte-Marcelle, à Saint-Jérôme. Cadet d'une famille de sept enfants (six garçons, une aînée), il était doué pour les cours d'imprimerie et les percussions africaines. Les parents de Béatrice se sont mariés à l'église de la paroisse Sainte-Marcelle, devant les familles élargies. Murielle avait choisi un ensemble à la Jackie Kennedy et son nouvel époux portait un smoking, sous l'ordre de son père, un homme à la droiture tendant presque vers l'ascétisme.

Le père de Béatrice est devenu pressier dans une grosse imprimerie en charge de l'impression d'un journal, tandis que Murielle a obtenu un poste de photo-composition au *Journal des Pays d'en haut*. Durant la nuit, le jeune époux opérait les énormes presses web à rouleau. Le boulot était parfois dangereux et trois ans après avoir été embauché, il s'est fait prendre les doigts dans les cylindres métalliques rotatifs en tentant de les essuyer alors que la presse était toujours en marche. Trois cicatrices sillonnent sa main droite. Murielle, quant à elle, tapait les textes de l'hebdomadaire laurentien en vue de l'impression. Pendant que son mari dormait, elle tapait des mots dont elle ignorait parfois la définition.

Deux années plus tard, Béatrice est née. C'est avec effroi que Murielle a constaté qu'elle ne ressentait aucune joie, ni aucune peur en tenant Béatrice dans ses bras, après l'accouchement. Murielle n'éprouvait *rien*. Elle l'a confié à son époux et celui-ci a mis cela sur le compte de l'émotion ; l'émotion trop grande face à ce bouleversement pourtant d'une grande beauté. Les jours ont passé, les mois ont passé et Murielle tentait, du plus profond de son être, en faisant appel à toutes ses ressources intérieures, *d'aimer son enfant.* Quelque chose l'en empêchait. Puis, à mesure que ses tentatives échouaient lamentablement (et chacune creusait le fossé entre la mère et sa fille), Murielle a commencé à construire des scénarios délirants à propos de son bébé. Par exemple, elle disait que Béatrice était un poupon possédé. Pour confirmer cette thèse, la mère avait remarqué que Béatrice avait le regard vitreux et vide quand elle la prenait dans ses bras. Car le regard de la bête est vitreux et vide. Elle l'a dit à son époux.

Ce dernier, qui trouvait le regard de sa fille tout simplement adorable, a cru bon d'emmener son épouse consulter. Si lui emmenait Murielle pour ses idées psychotiques à saveur satanique, la principale intéressée allait voir le thérapeute afin de créer un *lien* avec son enfant.

Murielle s'est fait suivre par le psychologue durant environ huit ans, en faisant du progrès. Mais s'il avait fallu mesurer ce progrès, on aurait utilisé un mètre alors que le chemin à franchir s'étendait sur plusieurs kilomètres.

Béatrice était une enfant «normale», de nature réservée. Elle n'avait pu éviter le culte de la poupée Barbie et s'amusait *comme n'importe quelle petite fille de son âge.* Lors de ses anniversaires, ses parents invitaient les enfants du voisinage et Béatrice soufflait les bougies de son gâteau. L'année de ses neuf ans, Béatrice a laissé une bougie allumée. Sa mère lui a alors dit qu'elle avait rajeuni d'une année. Murielle s'était alors félicitée. Elle venait de faire rire son enfant.

Puis, à l'âge de douze ans, lors d'un soir de semaine comme les autres, Béatrice a regardé un reportage sur les esprits amérindiens. Le reportage a créé chez elle une crainte profonde, la crainte d'être sous l'emprise d'un tel esprit. Elle ne dormait plus la nuit. Cela dura environ un mois, puis ses centres d'intérêt ont bifurqué vers d'autres horizons, beaucoup moins inquiétants, comme l'astronomie et les cerfs-volants.

En cinquième secondaire, le professeur de français avait donné à lire *La métamorphose* de Kafka. Ce livre, Béatrice l'a dévoré. Mais par-dessus tout, elle l'a compris. Elle a obtenu la note de cent pour cent pour sa dissertation s'intitulant *L'inversion*. À la troisième étape de l'année, Béatrice a basculé. Après avoir été l'élève la plus forte de sa classe, elle a vu ses résultats chuter. Ses parents ont noté, parmi les signes visibles, un manque d'hygiène et de l'insomnie. Lorsque le diagnostic de schizophrénie paranoïde est tombé, comme une massue il faut le dire, Murielle a pensé : «Voici ma punition pour ne pas avoir aimé mon enfant.» Le père de Béatrice, de son côté, après avoir eu une discussion avec le psychiatre de sa fille, s'est rappelé que son oncle Charles-Auguste, du côté de sa mère, avait été interné durant cinq ans.

Suivant le conseil du psychiatre, les parents de Béatrice se sont joints à un groupe d'entraide pour les parents et amis des personnes atteintes de troubles mentaux. Le conjoint de Murielle se souviendra toujours de la première réunion. Ils étaient trois nouveaux couples. Les époux du premier ont éclaté en sanglots cinq minutes après avoir commencé leur *témoignage*. «Nous ne savons plus quoi faire avec notre Dany.» Leur fils avait vingt-six ans, vivait toujours avec eux, et il en était à sa cinquième tentative de suicide. La semaine auparavant, il avait frappé sa mère au visage. Il l'avait prise pour une espionne. Le second couple a posé une seule question : « Y a-t-il des endroits où l'on peut les envoyer passer le reste de leur vie ? » En d'autres mots, le second couple avait abandonné. Lorsque leur tour est arrivé, Murielle a pris la parole. « C'est ma faute. Je n'ai pas su aimer mon enfant. Je n'ai jamais aimé ma fille. Je n'y arrivais pas. Quand elle me posait une question, je me mettais à la haïr. Lorsqu'elle souriait, j'étais jalouse. Depuis qu'elle est au monde, je ressens une telle honte. J'ai honte de moi-même. De ne pas être une bonne mère. » On lui a répondu que si elle assistait à cette réunion, c'est qu'elle était une bonne mère. Qu'elle se souciait de sa fille. Murielle a pensé : « Combien de parents sont ici ce soir pour se déculpabiliser ? Combien sont ici pour eux-mêmes et non pour venir en aide à leur enfant ? Leur enfant prisonnier dans un enfer pire que n'importe quelle représentation de l'enfer. »

Au fil des rencontres, les parents de Béatrice écoutaient les témoignages tous plus déchirants les uns que les autres, dans une société qui laisse bien peu de chances aux personnes comme Béatrice. Son père s'est interrogé à la fin d'une réunion : « Ils disent pour les parents et amis des personnes atteintes de maladies mentales, mais je ne vois aucun ami, que des parents. Les malades mentaux n'ont pas d'amis, ils passent leur vie seuls. Lorsque nous serons morts, Béatrice se retrouvera seule au monde. » Cette pensée le rongeait jusqu'à la moelle de son âme. Il n'en parlait jamais, de cette crainte. Il voulait la voir disparaître. Trouver une solution qui n'arrivait jamais. Graduellement, les parents de Béatrice ont porté une attention particulière aux réponses des intervenants. Ils n'en avaient pour ainsi dire que trois : 1- *L'important, c'est de se respecter*; 2- *Nous ne pouvons malheureusement pas vous conseiller sur la médication de votre enfant, c'est le domaine du médecin*; et 3- *Malheureusement, les maladies mentales sont encore un sujet tabou.* Et qu'est-ce qu'ils auraient pu répondre d'autre, dans une région où sévit un manque criant de psychiatres, où un malade inapte au travail doit survivre avec huit cents dollars par mois ? Je dis « survivre », car c'est bien de cela qu'il s'agit.

Puis, contre toute attente, Béatrice a voulu partir vivre en appartement. Béatrice voulait se débrouiller toute seule. Ses parents l'ont encouragée. Non pas parce qu'ils voulaient s'en débarrasser, bien au contraire. L'autonomie de Béatrice enlèverait un poids des épaules de ses parents. « Si nous partons, elle pourra poursuivre sa route, sans nous. »

Les premières semaines, Béatrice téléphonait à ses parents trois fois par jour. Sa mère a dû mettre des limites. Pas plus d'un appel par jour. Cette restriction a brisé le cœur de Murielle autant qu'elle l'a soulagée. Les premiers mois, Béatrice a beaucoup appris. Au bout de six mois, elle cuisinait tous ses repas. Elle a renoué avec ses amis et s'en est fait de nouveaux.

Puis ses parents ont décidé de l'aider financièrement en lui donnant deux cents dollars par mois, en plus de lui acheter une voiture usagée et d'en payer l'entretien. Béatrice était enfin une adulte.

C'était sous-estimer la maladie. Un soir, Béatrice a confié à son père : « Chaque fois que je tournais la poignée de porte de ma chambre, j'entendais des voix. Je me suis alors mise à dormir dans mon salon, là où il n'y a pas de porte, mais la maladie a déjoué ma tactique en faisant en sorte que j'entende des voix chaque fois que j'ouvre la porte de mon appartement, le soir. Je ne peux quand même pas dormir dehors. » Béatrice a dû être hospitalisée pour réajuster sa médication. Ses parents ont alors compris que la vie de leur fille serait constituée de hauts et de bas.

Aujourd'hui, Béatrice n'a pas de cours. Elle décide de m'emmener aux *Doux Nocturnes*. L'organisme a pignon sur rue sur De la Gare. Nous montons et empruntons un long couloir. L'étage abrite des bureaux d'assurances et de notaires. Tout au fond il y a une pancarte bleue en carton sur laquelle est écrit « Doux Nocturnes » en lettres blanches. Nous entrons dans ce qui devait être jadis une salle de conférence, aujourd'hui reconvertie en salle commune accueillante. Un homme salue Béatrice. Ma copine me présente comme une amie. L'intervenant me souhaite la bienvenue. Cet après-midi, il y a cinq membres à part nous. Trois gars, deux filles, tous très calmes, tous buvant du café. Dans le coin, je remarque une petite table où reposent la cafetière et de belles grosses tasses à café. Certaines portent des prénoms.

– Salut, Brigitte, me dit l'un des membres portant une grosse barbe.

– Salut.

– Tu ne me reconnais pas ? C'est moi, François-le-poète-sans-fin.

Oui, je le reconnais, malgré sa barbe et sa prise de poids.

– Oui, oui. Écris-tu encore, François ?

– Bien sûr, regarde.

François sort un bout de papier de sa poche. Je le prends et me mets à lire :

Un chien pisteur s'égare en forêt et devient un chien errant. La forêt a engendré l'une des plus belles métamorphoses. Une femme quitte la mer et s'installe dans un château de sable. Une sirène frappée d'ostracisme. Cette femme recueille un coquillage sur la plage et tend l'oreille pour une dernière histoire salée. Mais le château de sable décide de baisser les bras. La marée ayant complété son œuvre.

– J'aime beaucoup ta poésie, François.

– Assoyez-vous les filles, nous invite l'intervenant.

– Tu t'appelles Marie ? je demande à la jeune femme rousse qui boit dans une tasse sur laquelle on peut lire ce prénom en lettres attachées.

– Non. Pourquoi ?

– C'est écrit Marie sur ta tasse.

– Oh, je l'ai prise au hasard. Je m'appelle Julie.

– Enchantée.

Un long silence persiste. Chacun lutte contre quelque chose. C'est évident. Béatrice donne de ses nouvelles. Elle parle de son retour aux études. Tout le monde l'encourage. Encore un silence.

Béatrice récidive :

– J'ai une bonne histoire à vous raconter. Tout est vrai, je vous jure.

– On t'écoute, dit l'intervenant.

– Ma cousine devait soigner le chien d'une amie partie en voyage en Europe. Chaque jour, elle nourrissait le chien et lui faisait faire une promenade. De jour en jour, le chien maigrissait. De jour en jour, il perdait des forces. Un matin, elle est arrivée et le chien était mort. Elle ne savait pas quoi faire. Dans un moment de panique, elle a mis le chien dans une valise et elle a pris le bus pour se rendre chez son frère. La valise était très lourde. Elle peinait à la maintenir en place. Un jeune homme assis devant elle la regardait. Il s'est approché d'elle et lui a demandé si elle avait besoin d'aide. Elle a accepté qu'il tienne sa valise. Parle, parle, jase, jase, le jeune homme lui a finalement demandé ce que contenait son bagage. Elle a répondu que c'était une tour d'ordinateur. C'était plausible. Lorsque ma cousine a tiré sur le cordon pour avertir le conducteur de s'immobiliser au prochain arrêt, le jeune homme a offert son aide pour descendre la valise du bus. Ma cousine a accepté. L'autobus s'est arrêté. Il est passé devant elle, a descendu du bus avec sa valise et s'est enfui avec ce qu'il croyait être une tour d'ordinateur. J'imagine la face qu'il a faite en ouvrant la valise !

Tout le monde rit, sauf François.

– Et l'amie de ta cousine, qu'est-ce qu'elle a dit à son retour ? lui demande-t-il.

– L'histoire ne le dit pas, François.

Lourd silence.

Je ne peux rien contre la maladie de Béatrice. Jamais je ne pourrai utiliser le briquet de la Kiss Army et mettre le feu à la schizophrénie de l'élue de mon cœur. Pourquoi ? Parce que la schizophrénie est elle-même un feu de terre inextinguible aux flammes invisibles.

XVIII

Je me rends chez Bernard en début d'avant-midi. Ma mère a bien voulu me prêter la voiture, à condition que je fasse le plein à mon retour. J'ai inséré un CD de Stravinsky dans le lecteur. Le trajet m'est alors apparu comme débordant de vie. Je me gare derrière l'Econoline banalisée. Bernard n'est pas dans la maison. Il y a une note sur la porte: «Je suis dans la grange.» Je me dirige vers le bâtiment. Les planches grisonnantes semblent avoir rétréci avec le temps. J'ouvre la porte. L'intérieur est à mon grand étonnement impeccable. Des produits d'extermination sont classés sur une étagère. Dans un coin sont empilées en pyramide des cannes de sirop d'érable. J'entends du bruit dans une autre pièce. J'avance et découvre Bernard, accroupi derrière la porte, qui fouille dans une boîte en carton.

– Salut, patron.

– Bonjour, Brigitte. Je prends quelques enveloppes de poison et je suis prêt.

– J'ai vu des cannes de sirop. Tu fais les sucres?

– Ma deuxième passion. Les seuls arbres dont je m'occupe, ce sont mes érables.

– Mais le sirop qui côtoie les insecticides, ce n'est pas dangereux ?

– Il y a dix ans, je t'aurais répondu que oui. Mais aujourd'hui, les produits que j'utilise pour exterminer la vermine respectent l'environnement. Alors pas de raison de s'en faire. Vois-tu, Brigitte, il y a dix ans, on tuait la vermine. Aujourd'hui, on l'éloigne.

– C'est bon pour le business.

– J'aime ta façon de voir les choses. Bon, allons-y.

– Bernard, quel est le nom de ton entreprise ?

– Tu vas aimer ça : Kafka Extermination. Mon slogan : « Appelez-moi pour gagner votre procès contre les insectes ! »

– Kafka Extermination, les gens comprennent la subtilité ?

– Bien sûr que non. En deux ans de pratique, seul un contrôleur aérien à la retraite connaissait *La métamorphose*. Il avait adoré mon slogan.

– Un connaisseur. Dommage que les insectes l'aient infesté.

– Les fourmis ne font heureusement aucune discrimination. Viens dans la maison, je vais te prêter des vêtements adéquats.

Il retire la note de sa porte et rentre à l'intérieur. Je le suis d'un pas timide. Il ouvre le placard du passage et en sort une tenue de travail.

– C'est beaucoup trop grand.

– C'est tout ce que j'ai.

– Et si je gardais mes vêtements?

– Pas question. Il te faut une tenue de travail. Chez Kafka Extermination, on fait les choses professionnellement.

– C'est vous le patron, monsieur Josef K.

– Ah oui, j'oubliais. L'extermination, tu as fait ça toute ta vie, n'oublie pas.

– Je n'ai que dix-neuf ans.

– Tu as grandi parmi les insecticides puissants.

Nous montons dans l'Econoline. Bernard a banalisé son véhicule pour éviter des ennuis aux clients. Aussi étrange que cela puisse paraître, Bernard se soucie de ses semblables. Nous roulons sur la 148. Nous croisons le concessionnaire New Holland, anciennement Massey-Ferguson. Les temps changent. La quincaillerie Delorme est désormais fermée. Notre client demeure dans la courbe meurtrière après Saint-Hermas. Il s'agit d'une maison en briques rouges. Une maison visiblement construite dans les années 1960. Bernard sonne. Une femme dans la quarantaine vient nous répondre. Malgré l'infestation, elle nous sourit et nous souhaite la bienvenue. Sans perdre un instant, Bernard lui demande combien de souris elle a tuées.

– Deux, à l'aide de trappes. Mais je suis persuadée que nous avons un gros problème. Mon garde-manger est souillé d'excréments de souris.

– Les entendez-vous ?

– Mon mari et moi entendons des grattements, la nuit.

– Avez-vous un chat ?

– Oui. Mais il ne suffit pas à la tâche. Pour dire vrai, je crois qu'il a peur des souris. C'est un chat d'intérieur. Il n'est jamais sorti dehors. Nous venons d'emménager. Nous vivions à Montréal. L'ancien propriétaire a construit cette maison. À la fin, il habitait seul. Je crois qu'il a laissé faire le problème.

– Ou son chat était vaillant. Votre chat, gratte-t-il les murs ? Fixe-t-il les murs du regard, ou le plafond ?

– Oui, souvent, il semble sentir une présence dans les murs.

– Il entend les souris qui se déplacent. Je peux voir le sous-sol ?

– Je vous en prie.

La femme nous indique le chemin et nous accompagne au sous-sol.

– L'ancien propriétaire y a laissé plusieurs biens.

Je me mets à explorer. Des planches sont entassées pêle-mêle sous l'escalier en fer forgé. Le plancher est fait de ciment nivelé à la truelle.

J'ignore ce qui a appartenu à l'ancien propriétaire. Je vois une vieille essoreuse, une planche à laver en bois et en verre. Une perruque défraîchie orne un vieux coffre à outils. Une truie tire le plancher du rez-de-chaussée des griffes du vent hivernal. Et des racines d'arbres tentent de traverser le solage afin de veiller leurs proches. Le long du mur ouest, il y a deux cordes de bois d'environ cinq pieds de hauteur. Je note aussi une fournaise à l'huile, une pompe à puisard et de vieux meubles en bois bourgogne. J'imagine que le tiroir de cette commode contient des lettres patentes et des lettres d'amour écrites en vieux français. Ce sous-sol est le refuge des fantômes. J'imagine les bruits de pas de l'ancien propriétaire. J'imagine ses bottines de feutre. L'homme descend l'escalier en fer forgé. Il revêt la vieille perruque. Le blond platine jure avec sa moustache grisonnante.

Je me souviens de ma chambre au sous-sol à Sainte-Scholastique. Mon sous-marin dans lequel je faisais entrer les chats errants. Le plafond se rapprochait de ma tête chaque année. Ils appelaient ça grandir. Mais je savais que c'était faux. Je savais qu'en réalité, c'était le poids de la maison qui pesait sur le plafond, d'année en année. Mes chers carabiniers, le docteur Courtemanche a fait un travail de titan. Il m'a entre autres enseigné à métamorphoser ma colère en pulsions de vie.

Soudain, je fais une découverte : dans une vieille valise reposent des pommes de terre. J'en prends une dans ma main. Elle est molle et commence à germer. La fraîcheur du sous-sol a ses limites. À côté de cette valise, il y a une cloche à gâteau qui conserve un dessert au chocolat.

– Qu'en penses-tu, Brigitte? me demande Bernard.

– Avec l'automne, les souris cherchent la chaleur. Je crois qu'on devrait laisser des enveloppes de poison dans le sous-sol, mais surtout au grenier.

– Juste, me dit Bernard. Et le chat ne doit pas aller dans le sous-sol. Avez-vous des enfants?

– Non.

– Un problème de moins. Euh, je veux dire que le poison est dangereux et que la présence d'enfants complique les choses.

Nous remontons au rez-de-chaussée. La femme nous ouvre la trappe du grenier. Parce que Bernard est bien portant et vieillissant, ce sera moi qui me faufilerai pour déposer sous les combles trois enveloppes de poison.

– Que va-t-il se passer?

– Les souris mangeront le poison contenu dans l'enveloppe et mourront.

– Mais ça va dégager de mauvaises odeurs?

– Non, car le poison fera en sorte que les cadavres s'assèchent et ne dégagent aucune odeur. Je vous le promets.

La cliente ne semble pas totalement rassurée.

– Madame, c'est nous qui dératisons les hangars de l'aéroport de Mirabel, et Dieu sait que ces hangars sont à risque, car les avions de marchandises proviennent de partout dans le monde. Les souris et les rats, on connaît ça, dis-je en inventant au fur et à mesure.

– Tu me rassures. Quel est ton nom ?

– Brigitte.

– C'est une entreprise familiale ?

– Je posais des trappes à souris avant même d'apprendre à marcher.

XIX

Trois jours plus tard, Bernard demande mon aide pour deux contrats d'infestation de fourmis charpentières. D'abord dans une résidence de Saint-Antoine.

La porte d'entrée donne sur le salon où un piano et des piles de CD confirment que nous sommes chez des artistes. Je me laisse baigner par les images qui s'offrent à moi. J'observe l'environnement et je prends des clichés mentaux. Clic, une image en souvenir. Je ne me souviendrai guère des visages des clients, mais leur mobilier de cuisine sera à jamais gravé dans ma mémoire. À côté du piano, il y a des djembés dans leur étui muni de ganses tressées multicolores. Sur le mur opposé à la seule fenêtre du salon, je remarque une toile aux couleurs pastel. À première vue, je me dis, en observant les formes et surtout les couleurs, qu'il s'agit d'une représentation vivante d'Africains en train de danser autour d'un feu. Puis en approfondissant mon regard, je commence à voir une sorte de seringue dans le bras de l'un des danseurs. «Non, c'est impossible, pas une toile ayant comme sujet des toxicomanes.» Je ne veux tout simplement pas que ce que je crois être une seringue soit bel et bien une seringue. Je décide alors que ces lignes peintes de façon saccadée sont des bouts de bois aidant à maintenir le rythme de la danse.

Bernard et moi visitons ensuite la cuisine située au bout d'un couloir. Sur le comptoir servant aux repas sur le pouce, il y a des cahiers de solfège et un livre de leçons de guitare. Sur ce livre, il y a la note: «Avancé». C'est maintenant clair, nous venons en aide à des musiciens. Je suis sûre qu'à ce moment précis, Bernard, qui découvre lui aussi que nous avons affaire à des travailleurs autonomes, se dit, inquiet: «Allons-nous être payés en argent? Va-t-on nous offrir une sorte de troc, car les artistes sont forts sur le troc? On les débarrasse de leurs fourmis et eux, en échange, nous offrent des leçons de djembé gratuites…» Juste à y penser, Bernard serre les poings.

Nous descendons au sous-sol. Dans l'escalier, je croise une fourmi, signe que l'infestation est très avancée. Une fois au sous-sol, je découvre la salle de répétition. Dans le coin trône une batterie formée de cinq morceaux. Sur des trépieds attendent une guitare Fender Stratocaster, une guitare acoustique, une classique, une mandoline et un banjo. Il y a trois amplificateurs de différentes marques et sur l'un d'entre eux repose un accordéon. Puis derrière l'amplificateur Roland, j'entrevois un étui qui ne peut que protéger un violon. Je demande alors à l'hôtesse des lieux : «Quel genre de musique nécessite un accordéon, un banjo, un violon et une batterie cinq morceaux ?» Elle me répond : «Mon chum fait partie d'un groupe de musique traditionnelle.» J'éclate de rire. J'ai en tête le violoneux qui joue en tapant du pied, le joueur de banjo faisant aller sa touffe de cheveux de gauche à droite et un accordéoniste qui trouve que son instrument a du chien. Je vexe la cliente. Elle me confie qu'elle aussi est une artiste. Elle offre des performances de danses africaines accompagnées de chants folkloriques. Je viens de comprendre la présence des quatre djembés. Ce n'est pas tous les jours qu'on rencontre à Saint-Jérôme une connaisseuse en matière de culture africaine.

Bernard, jusqu'alors muet, mais dont l'ouïe très développée entend tout, en profite alors pour lui demander :

– Chaque fois que j'entends des attroupements de joueurs de djembé devant la vieille gare de Saint-Jérôme, je me demande : Coudonc, n'existe-t-il qu'un seul satané rythme ? C'est vrai, c'est toujours le même maudit rythme que j'entends depuis toujours.

La femme se met à rire. Sa réponse est diplomate envers les amateurs. Elle parle de polyrythmie et de temps forts. Et Bernard de répondre :

— Polyrythmie tant que vous voudrez, c'est toujours le même crisse de *beat* pareil.

Après avoir fumigé la maison des artistes, Kafka Extermination se dirige vers une résidence cossue de Lachute, située près du cimetière. Nous y arrivons aux alentours d'une heure de l'après-midi. Une femme en pyjama nous accueille. Dans la jeune trentaine, elle a les cheveux rouges et violets et porte un tatouage dans son cou. La résidence n'est pas seulement un lieu de vie, c'est aussi un lieu de travail : cinq canevas sur lesquels attendent patiemment des œuvres en cours, sans compter les nombreux tableaux empilés contre les murs. Des toiles immenses. Une artiste contemporaine accomplie demeure à Lachute. Je n'y aurais jamais cru. Des portraits aux couleurs sombres et chaudes, des ambiances érotisantes. Du cru et de la cruauté. Je sais très bien que ses œuvres sont hors de prix pour une apprentie exterminatrice, mais je demande quand même à cette femme à la vie intérieure intense combien vaut une toile que je pointe du doigt. Je la trouve tout simplement magnifique. Cette femme peinte de profil, c'est la beauté dissimulant le carnage intérieur.

— Huit mille dollars, me répond la femme.

— Pour une fois, je trouve que ce n'est pas cher, dit Bernard, qui espionnait ce marchandage et qui vraisemblablement apprécie lui aussi le talent de la femme tatouée.

La femme sourit et s'allume une cigarette. Elle nous laisse faire notre travail. Elle monte dans une pièce à l'étage et referme la porte. Son conjoint arrive une heure plus tard en Mercedes et nous confie que Karla vit le deuil de son père. Curieusement, lorsque j'ai vu l'homme sortir de sa Mercedes, j'ai cru qu'il s'agissait du père de Karla.

Sur le chemin du retour, Bernard me confie que les affaires vont plutôt mal. Extermirabel est un compétiteur qui se permet tous les coups. Il nous faudrait plus de pub. Il semble inquiet, malgré mes mots d'encouragement. Mes chers fins stratèges, j'ai eu un éclair de génie.

Bernard se gare derrière la Jetta de ma mère. Il se retire dans sa grange pour ranger son équipement et se changer. J'en profite pour mettre mon plan à exécution. J'entre dans la maison pour récupérer mes vêtements. Je fouille sur le comptoir de la cuisine pour trouver un bocal et un couvercle. C'est dans une armoire sous l'évier que je trouve ce que cherche. Je me rends dans la rallonge. J'ouvre l'aquarium et transfère les coquerelles dans le bocal. Parce qu'elles doivent respirer, je retourne dans la cuisine prendre l'ouvre-boîte à fonctions multiples et perce quatre trous dans le couvercle. Ma chère armée, je me suis trompée. J'ai cru au début que vous seriez des bipèdes dotés plus ou moins de raison. J'avais tort. Mon armée sera constituée de coquerelles. Je dépose mon bocal au fond d'un sac brun. L'avantage des maisons en désordre, c'est que l'on trouve tout rapidement. Il suffit d'avoir un œil de lynx. Tout est devant soi, car rien n'est rangé dans les placards ou les tiroirs. Je sors de la maison et place mon sac brun sur la banquette arrière de la Jetta.

Je rejoins Bernard dans sa grange. Il passe le balai. L'entretien de sa grange semble prévaloir sur celui de sa maison. Il me remet cinquante dollars comptant. Je le remercie.

– Je vais te téléphoner. Tu peux retourner chez toi, exterminatrice d'un jour.

– Tu ne veux pas que je devienne ton bras droit ?

– Si, seulement j'ignore dans combien de temps j'aurai un nouveau contrat. Tu devrais te trouver un autre boulot.

– Bernard, je serai patiente. Moi, Brigitte des Colères, prédis que les affaires vont remonter comme par magie.

– C'est gentil.

– Brigitte des Colères n'est pas gentille. Elle influence l'avenir.

– Je pense souvent à ton père, tu sais. Je lui en ai longtemps voulu d'avoir fait ce qu'il a fait. J'étais en colère contre lui. Je l'aurais frappé au visage. Mais avec le temps, je me suis dit qu'il avait dû faire le tour de la question plusieurs fois, peser le pour et le contre. Mais le maudit, il gardait tout ça en dedans.

– Comme dans les chansons. Ce que je ressens *en dedans.* J'ai mal *en dedans,* dis-je avec le sourire.

– Quoi ?

– Non rien.

– Je vois. Tu souris. Tu as associé l'expression «en dedans» avec quelque chose qui te fait rire, et ce, malgré le fait que je parlais de ton père. Tu as mêlé l'humour au tragique. C'est bien, Brigitte. Ta pensée va à la vitesse de la lumière. Tu iras loin.

– Et je reviens de loin.

Je saute dans la Jetta afin de poursuivre mon écoute de Stravinsky et mettre en branle mon plan diabolique.

XX

Pour une raison qui m'échappe, Béatrice tient absolument à effectuer un retour à la terre en cette fête d'Halloween. Aujourd'hui, nous irons donc marcher dans l'érablière appartenant à son grand-père. L'érablière de l'octogénaire se situe à Saint-Augustin. Nous arrivons chez le papi en fin d'avant-midi. Le vieil homme nous accueille comme dans le bon vieux temps, soit avec trois bières tablette. Béatrice nous prépare un lunch à même le frigo de grand-papa. Ce midi, nous mangerons des sandwichs au baloney et des nouilles Ramen.

L'octogénaire me fait la conversation. Bien sûr, il veut savoir d'où je viens. Je songe à lui mentir, mais je veux voir où la vérité nous mènera. Ma réponse évoque en lui un tourbillon d'associations qui s'avère exactes. Pour me venir en aide, sa petite-fille lui demande d'aller nous chercher des décorations de Noël, au sous-sol. Grand-père accepte, à la condition que Béatrice lui donne un baiser avec la langue. Je m'esclaffe. Béatrice est folle de rage et en même temps morte de rire. Puis le vieil homme l'interroge :

– Mais pour l'amour de Dieu, pourquoi as-tu besoin de mes décorations de Noël ? Et pourquoi portes-tu un casque de Viking ?

Elle répond du tac au tac :

– J'ai besoin de tes décorations de Noël pour une performance artistique et mon casque de Viking me porte chance.

Nous devons marcher un quart de mille à travers les champs avant d'atteindre l'érablière. La journée est glaciale. Nous sommes maintenant presque arrivées. Les érables matures nous protègent à peine du vent. Tout ce froid ressemble à mon intérieur de jadis. Tout ce vent ressemble à ce qui devait sortir de ma bouche et qui est sorti dans le bureau du docteur Courtemanche. Béatrice tente vainement de s'allumer une cigarette. Je lui propose de nous diriger vers la cabane à sucre. Celle-ci est recouverte d'aluminium. La porte est cadenassée. Par chance, j'entrevois une brèche de la taille d'un humain dans les cordes de bois entreposées sous un toit en bardeaux d'asphalte. Je lui confie Béatrice et sa cigarette. Je regarde par la fenêtre de la cabane : j'aperçois la sertisseuse et des bancs de bois.

Béatrice a fini de s'encrasser. Première surprise : nous devons enjamber la tubulure fixée aux érables. Une épreuve digne d'un décathlon. Ma sœur d'armes, qui transportait notre barda jusqu'alors, me demande de prendre la relève. Notre sac à dos pèse deux tonnes. Deuxième surprise: nous apercevons une seconde cabane à sucre. Celle-ci, faite de planches de bois gris, est abandonnée. Quelques carreaux de fenêtres ont survécu. Il n'y a plus de porte et nous pénétrons dans cette cabane qui semble rétrécir: le temps fait son œuvre. À l'intérieur du bâtiment laissé à l'abandon depuis longtemps, il y a des seaux de métal tout rouillés, des bidons d'essence et des cannes de sirop d'érable vides, une vieille radio et du papier journal jauni. Je comprends alors que les murs de cette cabane étaient isolés avec de la gazette. Puis mon ingénue fait une découverte dans l'une des cannes de sirop: de vieilles pièces de monnaie légèrement noircies. Béatrice parvient à lire les dates. La plus vieille date de 1880 et la plus récente de 1900. Six pièces de monnaie, aux fins de collection. Un petit coup de Brasso et le tour sera joué. Nous divisons le butin en parts égales même si ma Jean Seberg l'a trouvé en premier.

— Je commence à avoir un petit creux. Pas toi? me demande Béatrice.

Ma réponse est affirmative. Ma comparse décide de faire un feu à proximité de la cabane. Elle utilise le vieux papier journal. Les flammes tardent à venir. Béatrice a bien fait d'apporter des allumettes en bois, la boîte au complet. Je réalise alors que les hommes des cavernes n'étaient pas si idiots. Feu feu, joli feu, montre ton joli minois. Je me mets à faire une danse du feu à l'intérieur de la cabane.

Ma danse n'a pas été vaine. Béatrice alimente le feu avec des morceaux de bois bien secs que je trouve dans la cabane. Je sectionne de petites planches en mettant mon poids sur mon pied gauche, qui lui fait pression au milieu de la planche. Je donne de petits coups secs. Béatrice sort les sandwichs du sac à dos, prépare les nouilles, sort la petite casserole et la place au-dessus des flammes. J'y verse une bouteille d'eau pendant que mon ange bleu la tient patiemment avec sa main droite. Le fond de la casserole commence à noircir. Puis Béatrice la laisse tomber dans le feu. Bien vite, l'eau monte à ébullition. J'y dépose l'assaisonnement et les nouilles déshydratées. Béatrice retire le tout des flammes. Nous mangeons sans égards aux bonnes manières.

– Bon, assez discuté, allons performer, carillonne-t-elle.

Nous nous mettons en route à travers la tubulure. Béatrice trouve enfin ce qu'elle cherchait: un sapin. Je dépose le sac à dos contenant des boules de Noël et des guirlandes. Si j'étais une saison, je serais l'hiver. Les tempêtes de neige pour mes excès de rage. Le verglas pour ma tristesse givrée. Le froid pour mon regard. Le soleil qui se reflète sur la neige pour mon pouvoir d'aveuglement. Je serais un mois de février. Chaque 24 décembre, je fais le sapin de Noël. C'est l'une des responsabilités que ma mère m'a données au fil des ans. Chaque 24 décembre, je fouille dans le placard et je sors la boîte de carton contenant notre sapin artificiel. Du vivant de mon père, nous avions un sapin naturel, gracieuseté de la famille Touchette. Mon père avait pris cette famille de bûcherons sous son aile et chaque année, pour le remercier, monsieur Touchette allait lui couper un sapin digne de ce nom. Celui-ci était toujours beaucoup trop haut et mon père devait le retailler avec son égoïne.

Bref, Béatrice et moi décorons le sapin naturel. Je m'occupe des guirlandes. Une fois le sapin ridiculisé, Béatrice entonne pour lui des cantiques de Noël, en cette journée d'Halloween. Je comprends pourquoi Béatrice fait tout cela : pour conjurer le sort fait au sapin. Je m'occupe des chœurs. Moi, Brigitte des Colères, chante pour les écureuils et les perdrix. Mes chères coquerelles, la forêt a été notre spectatrice. Elle a applaudi en cassant des branches d'arbres. Nous remercions le grand-père tout en gérant ses pulsions libidinales. Sur le chemin du retour, nous entonnons : « Moi, je connais une fille qui s'appelle Shirley. »

XXI

Mon odeur est forte car j'ai fouillé dans mon placard sens dessus dessous. J'ai trouvé un magnétophone à ruban et une cassette audio. À la vue du magnétophone, j'ai reçu une illumination sur le coco. Munie de ce magnétophone, je vais enjamber les clôtures et les frontières. Je vais tenter d'enregistrer le spectre des voix jérômiennes. Je vais essayer de kidnapper les tonalités et les rythmes. Je vais capter l'ultime révélation.

Entre chien et loup, je sors dehors avec l'appareil à la recherche de matériel. Une bande de jeunes scandent le mot «Yor». Je suis perplexe et quelque peu désorientée. Je descends les rues de la ville. J'aperçois souvent le même hiéroglyphe dessiné sur les murs des bâtiments désaffectés. Une sorte de clé de sol soulignée deux fois. Personne ne me demande ce que je fous avec mon magnétophone. J'enferme dans ma boîte le son de l'autoroute. Je me prosterne devant les viaducs. Je tente de sauvegarder sur ruban la mutation. Je suis exposée à l'aléatoire. Le paysage semi-urbain se métamorphose. Je suis désormais dans un quartier résidentiel. De nombreux jeunes costumés font du porte-à-porte. Nous sommes la nuit de l'Halloween. Je souligne les conversations adolescentes sur ruban magnétique. Mon magnétophone appartient à une autre époque. Puis je ressens l'envie irrésistible d'enregistrer une conversation entre un marchand et son client. Je décide donc d'entrer dans une tabagie du centre-ville. Je feuillette les magazines pornographiques durant quelques minutes, puis je décide de tendre le micro. Un homme barbu achète des cigares. Le commerçant lui dit :

– La molécule, Bernard, ze molécule.

Et «Ze molécule» se retrouve sur le ruban. Puis l'homme barbu répond :

– L'état se met à créer sa propre mouvance, vieux.

Je capte tout. Le commerçant me somme d'acheter ou de m'en aller. Je décide de quitter la tabagie.

Je croise Frankenstein et Dracula. Blanche-Neige et ses sept nains. Des fantômes qui insultent les piétons qui ne sont pas costumés. Ils m'insultent. Ces costumes créent une sorte de chaos. Je cesse de marcher. Je décide d'entrer dans le Coca-Cabanon. Un homme retient la porte pour moi. Des guitares en mutation sont accrochées aux murs. Un long zinc domine l'endroit. Des fauteuils assurent le confort au fond de l'établissement. La plupart des clients sont costumés. Je m'installe au bar. La barmaid me demande si je suis déguisée en journaliste. Elle a remarqué mon magnétophone. Je réponds que oui.

– C'est nul, ton déguisement ! conclut-elle.

Elle est déguisée en religieuse. Je commande une limonade. Je tente de capter ce que les images ne disent pas. J'observe le spectacle qui s'offre à moi. Un homme s'est déguisé en bifteck, une femme en Woody Allen et un autre homme en aquarium. Ce soir, au Coca-Cabanon, il y a une tour Eiffel, une distributrice de coca-cola et trois Adolf Hitler. Le DJ déguisé en Elvis Presley lance :

– Ce soir, Dracula peut flirter avec une hippie. Ce soir, le pape peut embrasser Wonder Woman.

La bande-son de cette soirée costumée est un délire prophétique. Le rythme est rapide et de nombreux fous rires ponctuent mon enregistrement. J'en suis certaine.

Trois jeunes hommes s'approchent de moi. Ils me demandent ce que je fous avec mon magnétophone. Ils craignent que je sois de la police. Je leur assure que non. Ils veulent savoir mon prénom. Je réponds : « Hannah ». Puis mon nom de famille. J'invente : « Wiseman ». L'un d'eux chuchote quelque chose à l'oreille de son ami. L'ami qui vient de recevoir un secret me lance :

– Sale juive, décrisse de mon bar au plus câlisse.

J'ai tout sur ruban. Je décide de quitter le Coca-Cabanon pour ma propre sécurité, pour mon intégrité physique. À Saint-Jérôme, il y des antisémites. Je suis sûre que dans une autre vie, je me suis appelée Hannah Wiseman. Je le sens et je rentre chez moi en taxi. Après m'être assise confortablement sur la banquette arrière, je demande au chauffeur :

– Que fais-tu si tu te fais attaquer ?

Le chauffeur semble être habitué à cette question. Sans hésiter, il me dit :

– D'abord, je crois que la personne s'assiérait à l'avant. Donc, je prendrais ma lampe de poche jumbo que je cache sur mon côté gauche, entre mon siège et la portière, et je frapperais l'agresseur de toutes mes forces. Je frapperais et je frapperais encore. Si mes forces faiblissaient, je songerais à toutes ces choses qu'on m'a dites et qui m'ont détruit en dedans. Et je recommencerais à frapper de plus belle.

– Toutes les choses qu'on t'a dites et qui t'ont détruit en dedans, j'aime ça, je lui réponds.

Je laisse un bon pourboire à Vincent-le-Taxi Driver et j'essaie de ne pas réveiller ma mère qui dort à poings fermés. Je décide d'écouter ma cassette. Je n'entends que des grondements et des bruits stridents. Quel gâchis !

XXII

Antoine m'a téléphoné de nouveau, en simple ami. Il voulait savoir si j'avais des nouvelles de monsieur Brisebois.

– Bien sûr, c'est mon patron.

La raison de son appel était la suivante : Antoine et son père ont acquis une érablière et ils souhaiteraient avoir les conseils d'un acériculteur qui utilise de la tubulure. Je lui ai répondu :

– Bernard Brisebois est votre homme.

À mon tour, j'ai fait une demande à Antoine. J'ai sollicité son aide pour mon plan diabolique. Je lui ai parlé de mon armée de coquerelles. Nous nous sommes donné rendez-vous devant l'Externat Jérômien à treize heures.

L'Externat Jérômien n'a pas pris une ride. Il a même pris de l'expansion. Antoine arrive à l'heure convenue. Il me donne un bec sur la joue. Il sent le parfum bon marché. Je transporte une mallette.

Nous nous dirigeons vers l'entrée principale. Une secrétaire nous demande la raison de notre visite.

– Nous sommes des anciens étudiants et nous voudrions rendre visite à nos anciens profs, dis-je.

Le visage de la secrétaire s'illumine comme par magie. Les mots « anciens étudiants » étaient la formule magique donnant accès au camp ennemi. On nous déverrouille la porte et nous pénétrons là où on vous prépare aux études supérieures. Il ne nous faut que trois minutes avant de rencontrer un premier professeur. Il se souvient de nous. Évidemment, il marche sur des œufs en me demandant ce qu'il advient de moi. Je lui réponds que je suis exterminatrice de vermine en devenir. Celui qui nous a jadis enseigné la religion ne semble pas surpris de mon choix de carrière. Il parle de l'extermination de vermine comme d'un « défi ». Monsieur Dallaire enseigne toujours la religion. Lorsque Antoine lui dit qu'il a pris la relève sur la ferme, monsieur Dallaire lui répond : « Point d'agriculteur, point de société. » Je lui demande si nous pouvons visiter le bureau des profs. Sa réponse est la meilleure des réponses :

– Tous les profs sont en cours, excepté monsieur Davidts et monsieur Cohen.

Antoine devra donc distraire ces deux soldats ennemis. Nous cognons à la porte de la salle des professeurs. Monsieur Cohen vient nous ouvrir. Il sourit. Il me prend par les épaules et me demande comment je vais. Ma réponse est minimaliste. Monsieur Davidts s'approche. Il a vieilli. Je passe le flambeau à Antoine. Je demande si je peux aller me prendre un verre d'eau dans la cuisinette des profs. J'entends deux « bien sûr ». Je suis maintenant seule. J'ouvre la mallette et sors le bocal de Troie. Je dis « Merde » à mon armée.

Je reviens parmi les humains. Antoine parle d'agriculture. Je souris. Dans mon discours, il y a les mots « thérapie » et « miracle ». Puis je souhaite une bonne retraite à monsieur Davidts.

Une fois la mission terminée, je demande à Antoine pourquoi il a choisi de prendre la relève de la ferme. Sa réponse est triste :

– Parce que c'était plus simple comme ça.

Antoine gare son véhicule dans le stationnement de l'immeuble où j'habite. J'emprunte une fois de plus la Jetta de ma mère, mais j'épargne Stravinsky à Antoine. J'opte plutôt pour CHOM. Durant le trajet, Antoine me pose des questions sur Bernard. Mes réponses sont des hagiographies briseboisiennes. Juste avant d'arriver, je demande à Antoine s'il a préparé des questions. Il me sort une feuille mobile. Il fait des fautes d'orthographe.

– Mais dis-moi, Antoine, tu m'as déjà expliqué le temps des sucres. Pourquoi veux-tu rencontrer Bernard ?

– Mon père ne connaît pas les systèmes de pompage du sirop. Il fait les sucres à l'ancienne.

– Laisse-moi poser quelques questions à Bernard. D'accord?

– Bien sûr.

Bernard nous reçoit dans sa rallonge. L'aquarium est toujours vide. Mon patron ne revient pas sur la disparition de ses petites chéries. Il nous demande s'il peut fumer sa pipe. Nous n'avons aucune objection. L'exterminateur sort sa pipe et craque une allumette au bout trois couleurs. L'homme a de l'expérience. Il semble vraiment fumer pour se détendre. Je suis sûr que Bernard songe à de grandes idées en fumant. Et ces brillantes idées n'auraient pu prendre forme dans d'autres circonstances. Moi, Brigitte des Colères, je crois que fumer est bon pour l'esprit, et ce qui est bon pour l'esprit n'est pas nécessairement bon pour le corps.

– Suivez-moi, dit Bernard en se levant d'un trait.

Mon patron nous fait monter dans son Econoline. Il tient à nous faire visiter son érablière. C'est non négociable. Bernard ne respecte pas les limites de vitesse. Je remarque que son pouce gauche n'a pas d'ongle. Je crois que c'est comme ça depuis plusieurs années. L'odeur de la pipe fumante me rappelle mon père. Celui-ci fumait des cigares à saveur de raisin. Il en fumait toujours un avant de se rendre à la messe du dimanche.

– Que voulez-vous ? Rendu à l'âge que j'ai et au point où j'en suis, et ce, malgré que je suis le plus jeune chez nous, je suis rendu un vieux. Jamais, avant, je n'avais compris les vieux. Bien sûr, nous étions sympathiques aux vieux. Tous ces jeunes, je les trouve bien sympathiques aux vieux, mais ils ne peuvent pas nous comprendre. Pour comprendre un vieux, il faut être rendu vieux. Aujourd'hui, je comprends des choses que mon père m'a dites, durant ses dernières années, alors que moi j'étais encore jeune. Des choses comme perdre des forces, perdre des capacités. Ne plus être capable de faire la journée qu'on faisait avant. Maintenant, je ne suis plus capable de rentrer mon bois. Mais moi, je m'ajuste. Dorénavant, ce n'est plus moi qui contrôle ma tronçonneuse, mais bien ma tronçonneuse qui me contrôle. Je la laisse aller.

L'érablière de Bernard est à cinq minutes en voiture de sa résidence. Il gare son véhicule devant une petite remise. Antoine et moi n'avons d'autres choix que de le suivre. C'est le temps des labours. Au loin, dans un champ, un tracteur muni d'une charrue semble en bien mauvaise posture.

– Monsieur Desjardins s'est encore enlisé dans la boue avec son vieux White. Je lui avais pourtant dit de s'acheter un John Deere quatre roues motrices.

Bernard déverrouille le cadenas et ouvre l'énorme porte coulissante de la remise. Celle-ci abrite un vieux tracteur International sans cabine. Bernard s'installe au volant et démarre l'engin. Il nous fait signe de monter. Antoine juge bon d'aller à l'arrière du tracteur et de placer ses pieds sur la tire. Moi, Brigitte des Colères, opte plutôt pour me faufiler entre le siège de Bernard et le garde-boue droit, les deux fesses sur le coffre à outils. La cabane à sucre est à environ dix minutes en tracteur.

– Bernard, avoue-le, tu ne jures que par le temps des sucres. N'est-ce pas ? lui demandé-je.

– Les cultivateurs, c'est du monde qui fonctionnent par saison. C'est avec le temps des sucres que nous commencions l'année. L'automne, nous finissions l'année. Septembre, octobre, novembre, nous engrangions, nous entreposions la machinerie pour l'hiver. Durant l'hiver, nous faisions notre bois pour l'année suivante. L'hiver, les journées sont plus courtes. Puis le temps des sucres arrivait. Là, c'était la renaissance. Chaque jour, elle gagnait du terrain. Le temps s'adoucissait. Il commençait à faire beau. Au printemps, toutes sortes d'oiseaux reviennent. Ça commence à fondre. Puis venait le temps de rouvrir les portes de la cabane, de pelleter alentour. Autrefois, c'était long, parce qu'il fallait battre le chemin jusqu'à la cabane avec les chevaux, et ensuite battre le chemin de chacun des circuits de l'érablière. Parfois, quand il y avait beaucoup de neige, il fallait battre le chemin directement au bout des guides des chevaux car ils ne pouvaient pas traîner de voiture. On était tout seul derrière les chevaux.

Moi, Brigitte des Colères, constate que mon patron ne tremble pas. Et je suis certaine que cet homme s'est servi de ses mains pour se défendre, et ce, à plusieurs reprises.

– Que voulez-vous dire, exactement, par «battre les chemins»? lui demande Antoine, en équilibre sur la tire, les deux mains soudées au dossier du siège de Bernard.

– Autrefois, il n'y avait pas de charrue. C'étaient donc les chevaux qui enjambaient la neige pour ouvrir un chemin. Ils foulaient la neige, ils laissaient ainsi une trace, et nous embarquions les *sleighs* dans ces traces. Plus le printemps s'approchait, plus ça fondait à mesure. Battre les chemins, ça durait quelques jours. Mais parfois, lorsque la croûte était trop épaisse, les chevaux se blessaient. La glace les coupait entre le sabot et le début du poil. La glace pouvait même leur couper les talonnettes à l'arrière. J'ai déjà vu des chevaux se débattre. Parfois, on voyait des traces de sang sur la neige. Souvent, pendant qu'un homme était affairé à battre les chemins avec les chevaux, les autres transportaient des seaux à sève sur leur dos et commençaient à entailler. Quand l'hiver avait été rude, ceux qui entaillaient finissaient en même temps que celui qui battait les chemins avec les chevaux. Entailler, c'était facile, tu empilais cinquante seaux et tu déposais cinquante chalumeaux dans le seau du dessus. Tu prenais ton vilébrequin et ton marteau et tu partais. Pour entailler, nous étions toujours plusieurs. Nous avancions peu à peu. Il y avait du monde, dans ce temps-là. Tu gardais les enfants à maison. Tu les faisais transporter les seaux. La plupart du temps, ils les roulaient sur la croûte de neige.

Moi, Brigitte des Colères, je reste marquée par les traces de sang des chevaux sur la neige. Je songe alors aux tuberculeux d'autrefois, dont les témoignages ensanglantés souillaient les étendues hivernales. L'hiver, le chef-d'œuvre du Québec. Et je me souviens de l'oncle Orient qui a passé trois ans de sa vie au Sanatorium de Québec. J'aurais aimé lessiver ses mouchoirs.

– Vous entailliez avec un vilebrequin ? lui demande son apprentie exterminatrice

– Oui, aujourd'hui, on ne comprendrait plus cela. Moi-même, j'ai une perceuse à batterie. Ziout, le trou est percé. Autrefois, avec un vilebrequin, on faisait cinq ou six tours pour percer l'écorce. Aujourd'hui, on ne parviendrait pas à faire un seul tour. On bloquerait, surtout un vieux comme moi. Autrefois, les vieux mettaient les jeunes sur le vilebrequin, parce que le mouvement de tourner te brasse le cœur. Quand tu es jeune, tu ne comprends pas ça : brasser le cœur. Mais quand tu es vieux, brasser le cœur en tournant le vilebrequin ou en cognant des clous dans les hauteurs, tu sais ce que c'est. Tu comprends ?

– Oui, disons-nous, Antoine et moi, à l'unisson.

– Ordinairement, quand le beau temps prenait, avec les journées qui allongeaient et le soleil qui renforçait, il se coulait trois ou quatre jours avant de finir d'entailler. On était alors prêts à faire la tournée. Autrefois, on faisait la tournée avec un baril en bois. On appelait ça la tonne. On posait une poche de jute dans l'entonnoir pour recueillir les copeaux, pour filtrer. On faisait la tournée à cheval et on revenait à la cabane à sucre avec l'eau d'érable. On construisait toujours les cabanes à sucre dans un trou, avec une butte pour vider la tonne. La butte, c'était pour éviter d'avoir à vider la tonne avec des seaux. Tu montais sur la butte avec la tonne et tu la vidais, car la tonne était munie d'un tuyau. L'eau était acheminée dans le bassin de la cabane grâce à un dalot de tôle. Et quand tu n'avais pas de butte naturelle, tu en construisais une. Au commencement des sucres, s'il n'y avait pas assez d'eau d'érable dans le bassin de la cabane, on faisait deux tournées avant de faire bouillir. Idéalement, on faisait une tournée par jour et on faisait bouillir à tous les jours.

Nous arrivons. Bernard immobilise son International rouge juste devant sa cabane à sucre. Elle a été visiblement rénovée plusieurs fois. Je note plusieurs strates formées au fil des années. Bernard ne semble pas vouloir nous faire visiter sa cabane. Ce qu'il veut nous montrer, ce sont les érables qui attendent désormais la neige.

– Quand commencent les sucres, y a-t-il une règle? Mes questions tirent à leur fin. Bien vite, Antoine posera les siennes.

– Il y a une règle, mais comme toute règle, il y a des exceptions. Ordinairement, les sucres, ça commence le 20 mars. On peut monter à la cabane vers le 12 ou le 15. Autrefois, quand il n'y avait pas eu trop de neige et que ce n'était pas trop dur pour les chevaux, on commençait plus tôt. Je me souviens, on allait mener le fumier quotidiennement à mi-chemin de la terre avec les chevaux et s'il n'y avait pas trop de neige, on allait virer à la cabane. Les sucres, on avait hâte de commencer ça. Pour tout dire, on avait hâte de commencer mais on avait aussi hâte de finir. L'arrivée des grives et des pluviers des champs te donne un indice de la fin des sucres. Mais il aurait beau faire le temps qu'il voudra, les bourgeons, eux, avancent, qu'il fasse froid ou non. La nature, ça n'arrête jamais. Et le beau sirop se fait les derniers jours de mars, à cause du froid. Les bourgeons sont moins avancés. La sève est claire-claire. Et en avril, la sève devient moins claire. Elle est aussi moins bonne au goût. Tu sais, l'eau d'érable part des racines et monte vers les bourgeons. Une fois, on avait fait un test : on avait entaillé un érable à trois endroits; l'entaille à dix pieds coulait moins que celle du bas et celle à quinze pieds coulait encore moins. Les vieux, eux, savaient. Ils nous disaient: «Entaillez le plus bas possible, défoncez la neige s'il le faut. Tant pis si le vaisseau est dans la neige. Ça va finir par fondre.» Au commencement des sucres, c'est le côté sud qui coule le plus et à la fin des sucres, c'est le côté nord. Un petit érable coule plus au début et un gros érable coule plus longtemps. Aujourd'hui, il y a des pompes, mais ces pompes-là, ça dérange la nature.

Moi, Brigitte des Colères, ne remarque plus l'arrivée et le départ des oiseaux depuis plusieurs années. Mais je me souviens qu'enfant, j'aimais écouter le chant automnal des outardes. Est-ce Dieu qui a conseillé aux outardes de voler en groupe, de manière à former un V, ou est-ce le fruit de l'évolution? Je me doute que la réponse pourrait soulever les passions.

Antoine, qui jusque ici était bien silencieux, se met à poser des questions techniques à Bernard à propos de la tubulure. Je n'y comprends pas grand-chose. Je capte au vol les expressions «tubes cinq seizième de pouce» et «pompe à vide». Bernard et Antoine échangent des anecdotes d'acériculteurs. Souvent, Bernard lui pointe un érable, avec son index jadis mutilé par une machine agricole, et assouvit la soif de connaissance d'Antoine. Puis, j'aperçois un écureuil. Je tente de l'approcher, sous le regard découragé de Bernard.

– La plus grande nuisance, dit-il. Un véritable fléau. Moi, je dépense deux cents dollars par année en poison juste pour les écureuils. Depuis que je fais ça, j'ai la paix. Les écureuils m'ont déjà jeté le système à terre deux fois. Complètement. Il n'y avait plus un seul tube qui tenait. C'était tout à terre. C'est parce que les écureuils prennent les chalumeaux pour des noix. Je vous explique. Les écureuils ont deux portées par année. Une à la fin d'avril et une au mois de juin. Quand la portée de juin arrive, la mère chasse la première portée de son territoire. Les jeunes écureuils, la seule chose qu'ils ont dans la tête, c'est de ramasser des noix pour se faire une provision. Et un chalumeau, ça ressemble à une noix. Tu vas même trouver des chalumeaux dans les arbres creux. Au début, je voulais utiliser de la strychnine. Mais la strychnine reste dans l'estomac de l'écureuil et le prédateur qui va manger cet écureuil va s'empoisonner. J'ai déjà utilisé du plâtre. Les écureuils adorent manger du plâtre en poudre, et après, ça durcit dans l'estomac. Mais maintenant, je nourris mes écureuils et je mets du poison à rat dans la nourriture. Je contrôle ainsi ma population. C'est quand ils sont trop nombreux qu'il craignent de manquer de nourriture. Mais parfois, tu tombes sur un petit vicieux. Tant que tu ne l'as pas tué, il fait des ravages. Juste pour mal faire.

– À part les rongeurs ? poursuit Antoine.

– Parfois, il y a des orignaux qui jettent les systèmes à terre. Un chevreuil, ça ne dérange pas, mais un orignal, ça dérange. Un orignal, c'est comme un cheval. On ne doit pas promener un cheval dans une sucrerie où il y a de la tubulure. Parce que les chevaux marchent la tête en l'air. Les tubes leur arrivent sur le poitrail et ils n'en font aucun cas. Le tube casse et il le traîne sur plusieurs mètres. Tandis qu'un chevreuil, ça marche comme une vache : la tête basse. Ils passent sous la tubulure.

– Fascinant, dit Antoine.

– J'ai oublié de te dire. Tu ne prends jamais du bon bois pour faire bouillir. De l'érable, par exemple, ça ne fait pas du bon sirop, parce que pour faire du bon sirop, ça te prend de la flamme, pas de la braise. Le bois de cabane, c'est le bois mort, de la pruche, du sapin. Tout ce que ça prend, c'est du bois sec. Et de petites bûches. Bon, ben, c'est à peu près tout.

– Monsieur Brisebois, je vous remercie infiniment, lui dit Antoine.

Moi, Brigitte des Colères, j'ai la conviction d'avoir bien fait en présentant Bernard à Antoine. J'espère avoir contribué à la naissance d'une belle complicité. Antoine et Bernard ont tellement souffert. Mes chers citoyens prochainement sous occupation, transformez vos mouchoirs en messages d'adieu. Tant mieux si cela laisse des traces. C'est bon pour l'Histoire. Par ici, les artistes. Il faut avoir la chansonnette facile et le cœur gros. Et les amoureuses portent en elles le germe de la révolte. Je suis une crieuse de fêtes foraines. Par ici, mes petits chérubins, il faut trafiquer la grande roue. Invitez vos oncles et vos patrons pour un tour de manège. C'est à mourir de rire. Goûtez aux hot dogs de votre oncle préféré, prenez une gorgée de coca-cola avec vos médicaments. À prendre avec de la nourriture. Je souhaite que les forces de l'Ordre se fassent matraquer et arroser. Mes chers futurs vaincus, vous connaîtrez bientôt la fureur d'une marginale. Vous devrez bientôt vous incliner devant son armée.

Épilogue

Saint-Jérôme est infestée de coquerelles-soldats. Après avoir proliféré dans le bureau des professeurs de l'Externat Jérômien, elles se sont faufilées dans les cuisines, elles ont utilisé les conduits d'aération, n'importe quelle brèche, et elles ont colonisé mon ancienne école. Par chance, une coquerelle-fantassin a eu la brillante idée de faire une avancée dans les casiers des écoliers et les vestiaires. Elle et ses compagnes d'armes ont pu ainsi pondre dans les manteaux des écoliers. Elles ont souillé les costumes de l'Externat. Et ces manteaux ont voyagé. Ces manteaux ont colonisé les maisons les plus opulentes des quartiers les plus riches. De mon ancienne école au reste de la ville, la route a été longue, mais les coquerelles-arquebusiers sont vaillantes. Elles ont désormais le don d'ubiquité. Toutes ces femmes qui ont poussé des cris à la vue de mes petites bestioles d'amour !

Elles ont descendu la rue Schultz. Elles ont pris le taxi. Elles ont descendu la rue Fournier. Dans la paroisse Sainte-Paule, elles ont fait un carnage. Les Jérômiens ont prié, mais Dieu n'a aucun pouvoir sur les coquerelles. La ligne a été coupée entre le Dieu des insectes nuisibles et le Dieu des mortels. Je vous laisse deviner lequel est lequel. Toutes les écoles de la ville sont fermées. Mes bestioles d'amour ont élu domicile dans les caisses pop, les résidences pour personnes âgées. Elles sont présentes dans tous les quartiers résidentiels. Je n'y aurais jamais cru, mais mon armée a même envahi l'Hôtel-Dieu de Saint-Jérôme. Les préposés à la salubrité sont débordés. Et mon armée s'est gardé le plus beau pour le dessert : les bibliothèques de la Ville, car les coquerelles-parachutistes raffolent du papier, parole de Bernard. Elles ont dévoré l'œuvre de Dostoïevski. Tous les livres de Jack Kerouac. Tous les Ducharme. Toute la poésie, même la mauvaise. Elles n'ont fait qu'une bouchée de la philosophie. Les coquerelles-parachutistes apprennent vite. Elles ont gobé toutes les encyclopédies dans lesquelles leur réputation est mise à rude épreuve.

La ville a enfin un seul et même sujet de conversation. Aujourd'hui, monsieur le maire a convoqué les journalistes et la population pour une conférence de presse. Elle a eu lieu au sous-sol des galeries des Laurentides. Je tenais à y assister pour avoir son point de vue sur la situation. Évidemment, il était photogénique et rassurant. Il a dit qu'il ne fallait pas s'inquiéter outre mesure, que la situation était préoccupante mais sous contrôle. Personne n'a été convaincu, car une coquerelle-éclaireuse longeait le fil du micro dans lequel la voix du maire semblait lire un texte écrit par une machine sans âme.

Mon patron fait des affaires d'or. Le cellulaire ne dérougit pas. Parmi les cas les plus urgents, il y a l'appartement de Béatrice. Bien qu'elle déteste son envahisseur, elle ne peut s'empêcher de me féliciter. J'ai généré le chaos qu'elle voulait tant voir naître. Chaque soir, je rentre chez moi avec des produits anti-coquerelles. Pendant que ma mère dort, je fais ce qu'il faut pour éloigner mon armée de mon logis. J'ai aussi immunisé la résidence au-dessus de chez nous. Ma mère ne comprend d'ailleurs pas pourquoi les coquerelles-grenadières ne nous ont pas encore envahies. Mais je dois faire attention, car les coquerelles n'ont pas de maître et je le sais très bien. Les coquerelles n'ont pas besoin de Brigitte des Colères. J'ai été l'étincelle nécessaire, un point c'est tout.

Mon patron ne m'a pas encore parlé de l'aquarium vide. Il ne le fera jamais. Quelque chose l'empêchait de faire ce que j'ai fait. Mon patron a des principes qui bloquaient l'évidence commerciale. Il lui fallait Brigitte des Colères pour connaître la prospérité. Je crois qu'au fond de lui-même, il condamne mon geste, car mon patron aime ses semblables. Il ne comprend pas que si j'ai ouvert le bocal, c'est en partie pour le bien de Saint-Jérôme. Après le fléau anéanti (je devrais dire contrôlé), tous les Jérômiens se féliciteront. Ils auront vite oublié qu'au pire moment de l'infestation, chaque foyer accusait son voisin de malpropreté. Le fléau anéanti sera rassembleur et peut-être, je dis bien peut-être, serons-nous plus humbles. De minuscules créatures ont failli avoir raison de nous. Si nous avions l'esprit d'équipe des coquerelles, nous changerions le monde en moins de deux. Mais il faudrait, contrairement aux cancrelats, choisir entre le Bien et le Mal, car les coquerelles, elles, choisissent toujours ce qui est bien. Ce qui est bien pour les coquerelles. Si j'ai ouvert le bocal, c'est en partie pour démontrer à Dieu que les Jérômiens ne sont pas dignes de son amour. Ils ont accusé tous les Noirs de la ville d'être la source de leur malheur. Ils ont accusé tous les voyageurs en visite. Les riches ont accusé les pauvres. Les parents ont accusé les autres parents. Si Dieu continue d'aimer les Jérômiens après ce qu'ils ont fait, Il est aveugle. Assis au bar de sa taverne préférée, mon patron me dit :

– Toi et moi, on va aller loin. Je t'engage à temps plein. Chin !

À suivre…

Achevé d'imprimer sur les presses
de Transcontinental Métrolitho
à Sherbrooke, Québec, Canada.
Premier trimestre 2011